日本の叡《えい》智《ち》

野口哲英

「和」の奥深さを知る手引書

明窓出版

はじめに

外国人にニッポンのことを訊かれて、あなたはちゃんと答えられますか？

「なぜ日本人は、タダで手厚いサービスをするの？」

「なぜ日本人サポーターは、試合会場でゴミ拾いをするの？」

「なぜ日本人は、世界一長生きなの？」

「どうしてメイド・イン・ジャパンの製品は壊れにくいの？」

「どうして日本は、終戦後に焼け野原から驚異的な復興ができたの？」


——海外の方が、ニッポンという国や日本人に感じる数々の「なぜ？」「どうして？」

というクエスチョン。

あなたは、これらのクエスチョンにスラスラと答えることができますか?

本書は、そんなクエスチョンにお答えする本です。
インバウンドが増える中、日本について「なぜ?」「どうして?」と尋ねられたとき、文化的背景の異なる相手に対してわかりやすく説明するための「手引書」として執筆しました。

「日本人に日本の手引書なんて必要あるの?」と思われるかもしれませんが、日本人だからといって、日本のことを的確に説明できるとは限りませんよね。
なんとなく知っているつもりでも、「なぜ?」「どうして?」と質問されると、うまく説明できないことはありませんか?

「知っているようで、実はあまり知らない」「質問されると、案外説明しにくい」——本書ではそんな日本特有の文化や風習、その根幹にある日本人のメンタリティについて、他国との違いも含めて端的に解説していきます。

もちろん、他国を貶《おとし》めたり、日本人は他の民族よりも優れているなどと自画自賛をしようとする本ではありません。

日本のことを他者に説明するためには、大前提としてまず私たち自身が、日本のことを理解している必要があります。

ただし、〝日本のこと〟とひと言でいっても、建国以来一度も滅びることなく続いている日本は、現存する「世界最古の国」ですから、その歴史や文化はじつに奥深いものがあります。その分、歴史観も複雑多様ですし、伝統文化や風習の起源なども諸説あります。

本書は、それらを踏まえたうえで、「和の精神」「おもてなしの心」「無情の美学」「みそぎの精神」等々、日本に通底する事象を日本の今に紐づけながらコラム形式でまとめています。

これからますます増えることが予想される外国人観光客や就労者、移住者など日本へのさまざまなインバウンドにおいて、日本のことを説明する手引書としてぜひご活用ください。

「自国の神話や民話や歴史を学ばなくなった民族は必ず滅びる」とは歴史家アーノルド・トインビーの有名な言葉です。

本書を日本のことを学び直すハンドブックとしてご愛読いただけると幸いです。

2023年　夏

メドックスグループ　代表　野口 哲英

日本の叡智《えいち》「和」の奥深さを知る手引書

第2章 なぜ日本人は価格以上のサービスをするのか？
――見返りより感謝とおもてなしの心

第3章　なぜ日本人は四季の変化を愛するのか？——無常の美学

第4章　なぜ日本人はきれい好きなのか？――みそぎの精神

第5章 なぜ世界で和食ブームが起きているのか？ ――世界最長寿の知恵

第6章 なぜ日本人は「術」より「道」を極めることを大切にするのか？――あくなき求道心

第7章 なぜ日本は驚異的な復興を遂げられたのか？
――弱点も強みに変える工夫力

第1章

なぜ日本人は災害でもパニックにならないのか？

――和の精神の秘密

大災害でも「和の心」を失わない人々

災害などの騒ぎにまぎれて悪事を働くことを、「火事場泥棒」といいます。日本では、2005年の阪神淡路大震災や、2011年の東日本大震災、2016年の熊本地震など、たびたび大きな災害が起きています。けれど、どの被災地でも、災害の混乱に乗じた大規模な略奪騒動や暴動が起きたことは、一度もありません。むしろ、過酷な避難所生活においても、被災者たちは助け合って秩序を保ち、食事の配給などもきちんと並んで順番を乱したりしませんでした。自宅が倒壊していても、「自分は命が助かっただけよかった」「もっと大変なことになっている人たちを助けないと」と、他者を思いやる言葉を口にし、助け合う人も大勢いました。

世界各国のニュースメディアやSNSでは、そんな日本人の行動に対して驚きの声が飛び交いました。

「あれだけの震災に遭いながら、パニックも起こさず、強盗も便乗値上げもなかったことは驚きだった」（ハーバード大学教授マイケル・サンデル氏の特別講義『大震災私たちはどう生きるのか』　2011年　4月16日NHK）

「混乱の中での秩序と礼節、悲劇に直面しても冷静さと自己犠牲の気持ちを失わない、静かな勇敢さ、これらはまるで日本人の国民性に織り込まれている特性のようだ（2011年3月26日　アメリカのニューヨークタイムズ紙）」

こうした日本人特有のマインドのベースにあるのは、「和の精神」です。
和の精神とは、「自分さえよければ」という自己中心的な考え方ではなく、集団の秩序や調和を大切にする心です。日本人にはそれが、子どもの頃から学校教育の中で身につけいているので、たとえ非常事態に見舞われても、相手を思いやる心を忘れないのです。

困ったときは「お互いさま」の助け合い精神

日本は四方を海に囲まれ、独立した島国であることから、先祖代々生まれ育ってきた人が多く、欧米のような多民族国家ではありません。

そのため、日本人の多くは、同じ民族同士は互いに助け合うのが当たり前という感覚を共有しています。

この「お互いさま」「助け合い」の精神は、農耕民族特有の共同体意識に由来するといわれています。

その日その日の獲物と闘う狩猟民族の場合は、個々人の技量や能力が問われますが、その地域の自然と長期的に向き合いながら農作物を育てる農耕民族は、必然的に地域の共同体の中で協力し合う必要があります。

「お互いさま」「助け合い」とは、上下関係ではなく、平等な関係性です。

キリスト教でいうところの「慈善（charity）」の考え方とは異なり、誰かが困っていれば、みんなで助け、自分が困っているときは、みんなに助けられるという、利害も苦楽も分かち合う関係性です。それによって、共同体の絆もより固くなります。

「同じ釜の飯を食う」という慣用句がありますが、これは、生活を共にした仲間に対して親しみの念を込めて使う言葉です。たとえ他人であっても、家族のように互いに助け合う日本人のメンタリティが象徴されています。

多様性を認め合って共存共栄する「八百万の神」

今から1300年ほど前に書かれた、日本最古の神話の『日本書紀』や『古事記』には、「八百万《やおよろず》の神《かみ》」といわれる神々が登場します。「八百万」とは、文字通り数えきれないほど大勢いるということです。

日本では古来より、太陽や月、海や山、火や風などの万物に、八百万の神が宿ると考えられていました。

そのため、一昔前の日本の家屋では、門には「門口の神」が、かまどには「かまどの神」が、トイレには「厠《かわや》の神」が祀られていました。

八百万の神は、何でもできる全知全能の唯一神ではなく、それぞれ得意分野が異なります。

異なる能力を持つ多種多様な神さまが、個々の違いを尊重し合いつつ、さまざま局面で協力し合って共存共栄する――この柔軟で平和的なスピリットが、災害時でも協力し合う日本人の「和の精神」のベースになっているのです。

神話の時代から日本の神々は平和主義

西洋のユダヤ＝キリスト教では、男の神が万物を創り、土の塊から最初の人間「アダム」を創ったとされています。

そして、神は男のアダムを慰めるために、男の肋骨から女の「イブ」を創ったと伝えられています。


一方、日本の国土をつくったのは、日本神話の『日本書紀』や『古事記』によると、「イザナギ」と「イザナミ」という男女の神でした。

この2神から生まれたのが、日本の始祖とされる女神「アマテラスオオミカミ（天照大御神）」です。

天照大御神には、「スサノオノミコト（須佐之男命）」という弟がいました。

しかし、弟の横暴さに困ったアマテラスオオミカミは、天岩戸《あまのいわと》に身を隠してしまいます。

すると、地上はあっという間に暗黒の闇に包まれてしまいました。

困った八百万の神々は一堂に会し、舞の上手な「アマノウズメノミコト（天宇受売命）」に踊ってもらい、いかにも楽しげな酒宴を開いてアマテラスオオミカミを誘い出す作戦を、一致団結して敢行しました。

この作戦が功を奏し、アマテラスオオミカミは大いに盛り上がっている外の様子が気になって、天岩戸をそっと開きます。

その瞬間、世界は再び光を取り戻しました。


ここで注目すべきなのは、世界が暗闇に包まれるという緊急事態になっても、日本の神々は決してパニックに陥ってはいないということです。

さらに、神々が互いに協力し合って、穏便に問題を解決しているという点です。

乱暴者のスサノオノミコトも、神々の世界からは追放されるものの、殺されることはありません。

それどころか、のちにスサノオノミコトは人々を困らせていた怪物「ヤマタノオロチ」を退治して英雄となります。

さらに、スサノオノミコトの子孫である「オオクニヌシノミコト（大国主命）」も、アマテラスオオミカミから国を譲るよう命じられると、抵抗せず素直に応じます。

このように、日本神話には神々が醜い争いをすることなく平和的にものごとを解決する様子がさまざまな形で描かれています。

日本人のＤＮＡに染み込んだ「和の精神」は、こうした神話の時代から連綿と受け継がれているのです。

「和」は日本を象徴するキーワード

「和風」「和式」「和様」「和文」「和名」「和歌」「和紙」「和食」など、「和」は日本を象徴する言葉です。

最初に「和」をキーワードとして打ち出したのは、聖徳太子といわれています。

飛鳥時代（６世紀）に聖徳太子が制定した「十七条憲法」の第１条に書かれている「和をもって貴しとなす――」とは、意訳すると、「みんなが調和を大切にして話し合えば、いかなることも成しとげられる」という意味です。

続く条文でも、「和の精神」を貫く心構えが述べられており、日本には中国から儒教や仏教の思想が入ってくる以前から、民主的な政治思想があったといえます。

この十七条憲法は、その後の日本人の精神に、大きな影響を与えたといわれています。


「和」には「和《わ》する」「和《なご》む」「和《やわ》らぐ」という意味があり、「平和」「調和」「融和」など、異なるものを和やかに共存させることを意味する言葉に用いられています。

「令和」や「昭和」をはじめ、「和銅」「承和」「仁和」「永和」「弘和」「元和」「享和」など20に及ぶ年号にも、「和」の文字が使われています。


日本ならではの心意気のことを「大和魂《やまとだましい》」といいますが、この言葉にも和の精神が息づいています。

大和魂という言葉が最初に使われたのは、平安時代に紫式部によって書かれた『源氏物語』です。平安時代は、中国から伝来した文化に対して、「国風文化《こくふうぶんか》」という日本独特の文化が盛んになった時期でもあります。

大和魂のベースには、中国由来の知識や文化を日本独自の和の心で読み解くという意味の、「和魂漢才《わこんかんさい》」の思想があります。

明治時代に、西洋の学問や文化が一気に入ってきたとき、それらを日本流に取り入れる意味で、和魂漢才をもじった「和魂洋才《わこんようさい》」という言葉が用いられるようになりました。

「神」も「仏」も仲良く共生

日本は一神教ではなく、古来より多神教の「八百万の神」と共存してきたことから、日本各地には8万以上の神社があり、さまざまな神が祀られています。

こうした複数の神々を信仰の対象とする「神道《しんとう》」は、古来より日本に土着している民族信仰です。

神話の神々だけでなく、菅原道真のような学問の偉人が祀られた神社もあります。

一方、インドのシャカを開祖とし、アジア諸国に伝播した世界宗教の「仏教」も、日本に長く根付いています。

日本各地には、7万以上の寺院に30万体以上の仏像が祀られています。

「神さま、仏さま」——日本人は困ったとき、そんな風に助けを求めることがあります。

また、新年には神社を参拝しながら、お葬式の多くは仏教式で行われます。

一神教を信仰する外国人には理解しにくい宗教観かもしれませんが、これは、神道と仏教が1つの信仰体系となった、日本独自の「神仏習合《しんぶつしゅうごう》」の考え方によるものです。

仏教が6世紀に伝来した際、日本人は「八百万の神に、仏教の新しい神さまが加わった」という認識で、神も仏も自然に受け入れてきたのです。

中世の頃や明治時代に、神と仏を分ける「神仏分離」が一時的に行われたこともありましたが、今でも日本の神社や寺院には、神仏習合の名残が数多く見られます。神道も仏教も、日本人の生活文化の中でこんにちまで共生してきたのです。

「おてんとさまはお見通し」――世間が道徳の規準

日本では古くから、「おてんとさまはすべてお見通し」「おてんとさまに恥じないように」といった慣用表現があります。

「おてんとさま（おてんとさん）」とは、「御天道様」、すなわち太陽に対する畏敬と親しみを込めた呼称です。

日本神話（P23参照）のアマテラスオオミカミは太陽を神格化した存在ですが、日本人は太陽のことを、古来より人智を超える超自然の存在として、「おてんとうさま」と呼んで敬愛してきたのです。

「おてんとさまはすべてお見通し」「おてんとさまに恥じないように」とは、「どんなときでも自分を見ている存在があるから、恥ずかしいことはできない」と自らを戒め、律する日本人特有のマインドです。

どんなときでも自分を見ているおてんとさまは、ひるがえって周囲の「人さま」＝「世間」の目でもあります。

こうしたマインドがあるので、日本人は、「人さまや世間に恥ずかしいことは慎みなさい」と教育されて育ちます。

中国の儒教の経典『論語』にも、道徳から外れることを戒める「矩《のり》を踰《こ》える」という故事があります。

一方、キリスト教文明の西欧諸国では、「あなたは素晴らしい人間だから、そんな罪深いことをすると神さまに対して恥ずかしいですよね？」と、神の戒律に対して罪を犯してはならないと教育されます。

この違いについて、アメリカの文化人類学者ルース・ベネディクトは、著書『菊と刀』の中で、西欧は「罪の文化」であるのに対し、日本は「恥の文化」であると述べています。

いわく、キリスト教文明の西欧諸国の「罪の文化」では、神が善悪の基準になっていますが、日本的な「恥の文化」では、世間から見て恥ずかしくないか否かが善悪の基準になっています。

西欧人の行動を律するのは神に対する強い「罪の意識」ですが、多様な神や仏と共存している日本人の行動を律するのは、「世間＝他人」に対する「恥の意識」であるとルース・ベネディクトは指摘しています。

『菊と刀』は今から約70年前の書物であり、その内容には賛否両論ありますが、日本人の行動様式の規範になっているのは、「世間に対して恥ずかしくないように」というマインドです。

東日本大震災の際、我先にと抜け駆けをしたりせず、避難所で整然と行儀よく順番待ちをする被災者の姿が見られたのも、「恥の文化」が根底にあるからです。

海外でも、「日本人の旅行者は行儀がいい」とよくいわれますが、これも「恥の文化」が日本人の根底にあるからです。

たとえば、日本人はスポーツ観戦した後も持参したゴミ袋でゴミをきれいに回収して帰るのが常ですが、その行儀よさを称賛する声が海外メディアでしばしば取り上げられます（Ｐ１０８参照）。

たとえ海の向こうでも、人さまの前で恥ずかしい行動はしない――それが日本人の道徳観の規準になっているのです。

気配、気が付く、気働き――「気」に敏感な日本人

日本語を学ぶ外国人は、「気」という漢字が付いている言葉の多さに驚くそうです。和英辞典でも、「気」が付いている言葉の用例が圧倒的に多いようです。

日本語に「気」の付く言葉が多いという事実は、日本人がいかに「気」に敏感であるかを物語っています。

「気持ち」「気風」「気質」「気分」「気力」「意気」「勇気」「覇気」「士気」「根気」「陽気」「活気」「精気」「血気」「生気」「気丈」「気合い」「気が抜ける」「気が入る」「気に病む」「病気」「陰気」など、「気」は心身に関わる言葉に多数見受けられます。

また、「大気」「空気」「呼気」「蒸気」「香気」「湿気」「冷気」「熱気」「気候」「天気」のように、気体や天候の状態を表す言葉にも使われています。

さらに、「気配」「雰囲気」「運気」のように、目に見えないものを表す言葉にも使われます。

「お元気ですか」「お気遣いありがとうございます」「相手の温かな気配りがうれしい」「気が利いたサービス」「気働きがある優しい人」「彼女にちょっと気がある」「自分の思いをさりげなく相手に伝える」「気楽に生きる」「気の持ちようでなんとでもなる」「真実に気が付く」――

日本人は古来より「気」という言葉を日常的に使いこなすことで、目に見えない「気」の繊細な感覚を大切にしているのです。

心尽し、心意気、心遣い――「心」を大切にする日本人

「気」と同じように、日本語には「心」の付く言葉も数多くあります。

「心」とは、心臓を意味する他、「心理」「心情」「心境」「心地」「心得」「心象」「心証」「心眼」「心血」「心願」のように、気持ちや感情、考え方、意志、本心といった人間の精神活動や、ものごとの本質を意味します。

「心気」「気心」「心意気」「心配り」「心遣い」「心持ち」のように、「気」と同様の意味で使われることもあり、「心温まる」「心安らぐ」「心豊か」「心潤う」「心苦しい」「心細い」「心もとない」「心変わり」「心残り」など、気持ちの繊細な機微を表現する際によく用いられます。

「心尽し」「心を入れる」「心を磨く」「心がける」「心の声を聴く」といった表現にも、日本人がいかに「心」の存在を大切にしているかが表れています。

「主語」がなくても通じ合う「察しの文化」

日本語は、一人称だけでも、「私（わたし、わたくし）」「ぼく」「おれ」「われ」「うち」「わし」「おいら」「当方」「手前」「小生」「拙者」など古くから多種多様にあり、他国語に比べて人称代名詞が格段に豊富です。

にもかかわらず、日本語は主語が省略されることが多々あります。なぜなら、主語がなくても、主語以外の言葉だけで主語が容易に想像でき、意味が通じるからです。

日本人は古来より「わたし」を真っ先に出さず、自然の風景に思いを反映したり、擬人化したりして、思いを表現してきました。

たとえば、日本最古の和歌集『万葉集（7～8世紀編纂）』には、花や月を恋人や恋情に見立てた和歌が数多く見受けられます。そこには、「I LOVE YOU」とストレートに語らずに思いを伝える、日本人特有の奥ゆかしさと遊び心があります。

主語抜きの表現は、話者の思いを察する心があって初めて成立します。その根底には、主語なくしても通じ合う「察しの文化」が息づいているのです。

受けた恩義を忘れない「義理人情」の心意気

「義理人情」は、日本人の人間関係や社会を語るうえで、重要なキーワードです。人から恩を受けたら、その恩義に報いるという義理人情の精神文化が、日本人社会に深く浸透しています。

「義理」とは世の道理のことで、「人情」とは打算を超えた人の温情です。この2つを融合させることで、日本人は古来より互いに利害を超えた関係性を紡いできました。

義理人情の起源は、農耕民族の地域共同体における「お互いさま」精神と、封建時代の武家社会において主君から受けた恩義に家臣が忠誠心で報いる関係性に由来します。

こんにちでも、季節の節目にお世話になっている人に対して、夏は「お中元」や「暑中見舞い」「残暑見舞い」、冬は「お歳暮」や「年賀状」を贈る習慣があります。

また、冠婚葬祭の祝儀や不祝儀に対しては、もらった金額の半額相当の物品を「半返し」をするのが礼儀です。

さらに、毎年2月14日のバレンタインデイに上司や同僚の男性に「義理チョコ」を配り、3月14日のホワイトデイに男性が「義理チョコ」に対する返礼品を女性に渡すなど、日本人特有の義理堅い習慣が見られます。

近年は、人間関係や帰属集団への束縛を嫌う傾向や、形式的なやりとりを排して合理化する傾向があり、義理人情の精神文化は薄れつつあるといわれていますが、あまり「義理を欠く」と、不誠実な「恩知らず」とみなされます。

「粋」は人情に通じ、「野暮」は人情の機微に通じないこと

日本には、「粋《いき・すい》」という独特の美意識があります。

「粋《いき》」は、「意気」「意気地」「意気込み」などから転じた言葉とされ、言動や身なりがさっぱりと洗練されている様子や、人情に通じ、遊び方を知っていることを意味します。

反対語は「野暮《やぼ》」です。

「粋《すい》」は、混じりけがなく、優れており、人情に通じていて、ものわかりがよいことを意味します。反対語は無粋《ぶすい》です。

どちらも江戸時代の庶民生活から生まれた言葉ですが、いずれも「人情の機微に通じている」というのがポイントです。長屋の共同体で暮らしていた江戸庶民もまた、農村社会と同様に「お互いさま」や「助け合い」の精神がベースにありました。

粋《いき》な人、粋人《すいじん》とは、打算に走らず、お互いさま精神を持った心根の純粋な人のことです。日本人は、相手を思いやる情け深い心意気を持った人のふるまいに美意識を見出してきたのです。

日本の将棋は敵の駒も捨てずに生かす

「将棋」は古代インドに起源を発する国際遊戯ですが、日本で広まった将棋を「日本将棋」といいます。

日本将棋の駒は、全部で8種類あります。「玉将（王将）」と「金将」以外の6種類の駒は、敵陣に入って敵駒を取ると、裏返して動き方を変えることができます。さらに、敵駒を自分の「持ち駒」（「手駒」ともいう）として利用できます。

たとえば「歩兵（歩）」は前に1マスしか進めませんが、敵陣に入って敵の歩兵を取ると、歩は裏返って「と金」となり、上位の「金将」と同じ動きが可能になります。さらに、取った敵の歩兵は自分の持ち駒にして活かすことで「と金」に成長させることも可能です。

自分の持ち駒が敵駒を取ると成長し、取った敵駒も生かして再利用できるというこのルールは、実は日本だけのオリジナルです。

西洋将棋のチェスをはじめとする他国の将棋のルールでは、取られた敵駒は二度と復活できません。また、中国発祥の囲碁も、獲得した敵の碁石は復活できません。

敵であっても殺さず、有効活用しながら共に成長していく――そんな日本将棋のルールの根源には、殺し合わず平和的な解決を目指した『日本書紀』や『古事記』に登場する神々の神話（P23参照）、あるいは聖徳太子が唱えた「和」の精神（P25参照）に通じるものがあると考えられます。

こうした日本独自のルールによって、日本将棋はより多様で深みのあるゲームが可能になるといわれており、最近では日本将棋のように敵駒を再利用できるルールのチェスも作られているようです。

ちなみに、太平洋戦争直後、日本を統治していたGHQは敵駒を再利用する将棋を、捕虜虐待の野蛮なゲームとみなして禁じようとしました。

しかし、当時の将棋士・升田幸三《ますだこうぞう》は次のように反論したといわれています。

「チェスでは取った駒を使わないが、これは捕虜虐殺である。将棋では、捕虜の能力を尊重し、味方として登用する。これこそ真の民主主義である」（『名人に香車を引いた男』より）。

絶妙なチームプレイで五輪のメダルを獲得

日本古来の和の精神は、スポーツの世界でも生かされています。

さかのぼること1964年に開催された「東京オリンピック」では、「東洋の魔女」と謳われた日本女子バレーボールチームのメンバーが、強豪の旧ソ連チームを下して金メダルを獲得しました。

チームをまとめた大松博文監督は、「バレーにヒーローはいらない。精神力でしっかり支えられた6つの歯車がガッチリかみ合っていれば十分」という名コメントを残しています。

バレーボール以外にも、卓球団体、シンクロナイズドスイミング団体、スキージャンプ団体など、日本は団体競技のメダル獲得が非常に多い国です。

2012年の「ロンドンオリンピック」でも、競泳400mメドレーリレーの男子決勝で、日本チームが銀メダルに輝きました。その際、松田丈志選手が語った「先輩の北島康介さんを手ぶらで帰すわけにはいかないと、みんなで頑張りました。日本競泳陣の27人でとったメダルです」というコメントにも、チームワークを大切にする和の精神が脈々と息づいています。

２０１６年にブラジルで開催された「リオデジャネイロオリンピック」では、日本選手団は合計41個のメダルを獲得しましたが、やはり際立ったのは団体競技の手堅いチームプレイでした。

同大会の男子４００ｍリレーで日本陸上史上初の銀メダルを獲得できたのも、和の精神のたまものといえるでしょう。日本人選手４名の中には、１００ｍ走の自己ベストが10秒を切る選手が皆無だったにもかかわらず、自己ベスト９秒台が揃うアメリカチームに負けなかったのは、タイムを最大限に縮める「バトンパス」を見事に成功させた絶妙なチームワークのなせる業でした。

２０１８年に開催された「平昌《ピョンチャン》オリンピック」でも、女子カーリングや女子チームパシュート（団体追い抜き）など、調和のとれたチームプレイによって、日本選手団が冬季五輪史上最多の13個のメダルを獲得しました。

同大会では、スピードスケート女子５００ｍで優勝した小平奈緒選手が、試合直後に２位になって涙ぐむ李相花《イ・サンファ》選手に駆け寄って抱擁し、韓国旗を掲げてライバルの健闘をたたえた姿が感動を呼びました。味方だけでなく、一緒に戦った敵のこともリスペクトする――そこにも和の精神が宿っています。

「FIFAワールドカップカタール２０２２」では、優勝経験のあるドイツ、スペインの両巨頭をFIFAランク格下の日本チームが破り、グループリーグを首位で突破して世界を驚かせました。日本チームは受けたイエローカードも非常に少なく、フェアなチームプレイに徹することで格上のチームに善戦しました。

FIFAの公式サイトでも、優勝したアルゼンチン代表、２大会連続ベスト４進出のクロアチア代表、アフリカ勢初のベスト４進出モロッコ代表とともに、ベスト16進出の日本代表が、「傑出していたチーム」として賞賛されました。

さらに「WBC（ワールド・ベースボール・クラシック）２０２３」では、大谷翔平選手を中心とする侍ジャパンこと日本代表選手たちのチームプレイにより、７戦全勝で３回目の世界一に輝きました。

第2章

なぜ日本人は価格以上のサービスをするのか？

——見返りより感謝とおもてなしの心

水やお茶がタダで、チップも不要なワケ

「なぜ、日本人はチップもないのに、サービスしてくれるの？」

「なぜ、お店などで水やお茶がタダで出てくるの？」

訪日外国人からよくそんな声が聴かれます。

海外ではチップで生計を立てている人もいることから、チップが必要な国が多く、カフェやレストランで水を飲みたい場合は、有料のミネラルウォーターをオーダーしなければなりません。


一方、日本のサービス業はチップ不要で、庶民的な飲食店でも席に着くと必ずグラスに入った水が無料で出てきます。それも水道水をそのまま出すのではなく、浄水器などを通した水に氷を入れて出してくれる店がほとんどですし、水とセットでおしぼりが出てくる場合も少なくありません。

水がセルフサービスの場合もありますが、何杯おかわりをしてもお金を請求されるこ

とはありません。中には、夏は冷たいお茶、冬は温かいお茶を食前にも食後にもタダで出してくれる店もあります。

他にも、名古屋の喫茶店では、コーヒー1杯の値段で焼き立てトーストとゆで卵や目玉焼きなどのモーニングサービスが付いてくるのが定番になっています。

大阪では、タクシー運転手が乗客に、ティッシュペーパーやガム、アメなどを無料で提供するのが通例です。

日本人が、チップをもらわなくてもサービスを出し惜しみすることなく、こうした価格以上のサービスを等しく提供するのは、利用してくれた客への「感謝」がベースにあるからです。

感謝の気持ちを、水やおしぼりといった気遣いをすることで表しています。「ギブ＆テイク」で「金銭の見返り」を求めるのではなく、相手の喜びを自分の喜びとして「心の見返り」をいただいているのです。自己の利益だけを求めず、他者を気遣う考え方のベースには、古来より日本人の倫理観に深く根ざしてきた仏教の影響があるといわれています。

「おもてなし」は表裏のない心の表れ

金銭の見返りに関わらず、機械的なマニュアルを超えて行う日本特有の手厚い気遣いのことを、「おもてなし」といいます。

おもてなしの語源は「おもてうらなし」で、まさに、表裏のない心で客を迎えるという意味です。これは、「相手が心地よく過ごせるように」と気配りをする「茶の湯」の精神に通じるといわれています。

一方、「サービス（service）」の語源は、「奴隷」を意味するラテン語です。サービスという言葉は、客や社会に職務として仕えるという意味や、値引きなどの融通を図るという意味でも用いられます。

おもてなしは、客と迎える側が対等で、客に対価を求めません。

サービスは、客と迎える側は主従関係にあり、客に対価が発生します。

第1章でも触れたように、古来より「八百万の神」と共存してきた日本人は、客に対しても、「お客さまは神さま」という感覚があるため、自然に心からもてなすことができるのです。

「損して得取れ」「三方よし」——商人の知恵

目先の利益だけを求めず、一時的には損をしても、長い目で客からの信頼や支持につなげていこうという精神は、商売の世界で古くからよく使われる「損して得取れ」ということわざに象徴されています。

中世から近代にかけて活躍した、日本三大商人の一派「近江商人（滋賀県出身の商人）」は、見返りを期待せずに尽くすことや、人知れず善い行いをすることを奨励していました。

近江商人の有名な理念「売り手よし、買い手よし、世間よし＝三方よし」とは、売り手の得だけを考えて商いをするのではなく、買い手も満足し、商いを通じて地域社会にも貢献するという考え方です。

近江商人の流れを汲む組織には、伊藤忠商事、トヨタ自動車、高島屋、日本生命、西武鉄道、西武グループなど、日本を代表する大企業が数多くあります。

己の利益確保より信頼関係を優先

風邪薬や頭痛薬など、家庭で使いそうな医薬品がぎっしり詰まった箱をタダで持ってきてくれて、何カ月も経ってから、使った分のお金だけ回収しにきてくれる——これは、「富山の置き薬」で有名な「売薬《ばいやく》（医薬品配置業）」の独特な販売スタイルです。庶民が医薬品をあれこれ買い揃えるのが難しかった時代には、とても貴重な存在でした。

「お客さんが、置いていった薬を全部持ち逃げしてしまうのでは……？」

「お客さんが薬を使ったのに、ごまかして代金を支払わないのでは……？」

そんな疑いを持たず、「薬を用いてお客さんの病を治すのが先で、利益は後でよい」という考え方を、「先用後利《せんようこうり》」といいます。

先用後利のシステムが成立するのは、お客さんへの信頼がベースにあるからです。人間の本性は基本的に善であるとする「性善説」を唱えたのは孟子ですが、日本人社会も性善説が基本にあるため、己の利益を守ることより、まず互いの信頼関係を優先するのです。

契約書を交わす際も、日本では信頼関係を第一に考えるので、「紛争が起きた場合も互いに誠意をもって解決する」といった文言が入ります。

しかし、契約社会の欧米ではトラブルが起きるとすぐに訴訟問題に発展するので、契約書にはあらゆる責任範囲が細かく明記されます。

リスクヘッジという点では、欧米型の契約のほうが徹底しているといえますが、「和の精神」がベースにある日本の社会では、平和的な信頼関係を築くことこそがリスクヘッジであると考えられているのです。

「ありがとう」は貴重なものごとへの純粋な感謝

感謝を示す日本語「ありがとう」の語源は、「有り難し」という形容詞です。

「有ることが難しい」とは、めったにあり得ない貴重なものごとを意味します。

仏教では、人としてこの世に生まれてきたこと自体が貴重なことであるとされていま す。日本に仏教が浸透すると共に、この世に生かされているのは仏さまや自然のご加護 であるという感謝の思いが転じて、「ありがとう」が感謝の言葉として使われるように なりました。

ポルトガル語の「オブリガード（obrigado）」が語源であるという説もありますが、ポ ルトガル語が日本に入ってきた16世紀以前から「ありがとう」という言葉が使われてい るので、この説は誤りです。

「ありがとう」の反対語は、「あたりまえ」です。

自分が生きているのは「あたりまえ」ではなく、とても貴重な「ありがたい」ことで あるという感謝と謙虚が、日本人の生命観の根源にあるのです。

ちなみに、中国語の「有難」は、読んで字のごとく「難がある」という意味なので、中国人にお礼のつもりで「有難う」と書くと誤解されてしまいます。中国語のありがとうは「謝謝《シェイシェイ》」ですが、これは古代中国語の「謝＝あやまる」が語源で、厚意に甘えて申し訳ないという意味です。

「お陰さま」は見えない陰の存在に感謝

「おめでとうございます」「お陰さまで、うまくいきました」

「お元気ですか？」「お陰さまで、元気でやっております」

このように相手に対する感謝や謙遜の気持ちを示すとき、「お陰さま」という言葉も日常的によく使われます。

「おかげさま（お陰様）」は、他人から受けた恩恵や擁護を意味する「お陰」に「様」

をつけて丁寧にした言葉です。「ありがとう」と同様に、古来より神仏などの見えない存在の「お陰」でご加護を受けることへの感謝の気持ちが込められています。

特にお世話してもらった相手でなくても、「お陰さまで」と奥ゆかしく感謝することで、関係性が円満になる日本特有のコミュニケーションワードの1つです。

「いただきます」「ごちそうさま」は食材の命と作り手への感謝

外国語には食事前に、「よい食事を」「神さまに感謝」といった意味の言葉はありますが、日本語の「いただきます」と「ごちそうさまでした」と同義のあいさつ語はありません。

日本の食事のマナーには、「いただきます」と「ごちそうさまでした」という2つのあいさつが欠かせません。どちらも、「感謝」を表す言葉です。

まず、食事のあいさつ「いただきます」には、次の2つの感謝が込められています。

1つは、農作物や魚介、肉など食材の「命」をいただくことへの感謝です。

もう1つは、食材を提供し、食事を作ってくれた人への感謝です。

「いただきます」という言葉の語源は、神さまにお供えしたものを食べるときや、位の高い人からものを受け取るときに、頭の頂《いただき》に掲げたことに由来するといわれています。

食事を食べ終えたときのあいさつ、「ごちそうさまでした」にも2つの感謝の意味があります。

1つは「ご馳走《ちそう》」という文字が示す通り、一生懸命に山海を走り回って食べものを集め、美味しいご馳走を作ってくれた人々に対する感謝です。

もう1つは、いただいた食材の命に対する感謝です。

「いただきます」を言うときは目の前の食事に向かって合掌し、「ごちそうさまでした」を言うときは食べ終えた空の器に向かって合掌します。

たとえ目の前に誰もいなくても、自分で食事を作っていても、大多数の日本人は食事をする前と後に「いただきます」「ごちそうさまでした」と言う習慣があります。

一口だけ試食する場合でも、何か食べものを提供されたら「いただきます」、食べ終えたら「ごちそうさまでした」と必ずセットで言います。

日本人の生活習慣の中に、食材の命をいただいて生かされていることへの感謝が根付いている現れといえます。

また、料理は視覚的に愛《め》で、香りを感じ、舌ざわりや歯ごたえやのどごしを感じ、五感を総動員して味わうために、食事中はできるだけ音をたてず静かにいただくのがマナーです。これも、食事を作ってくれた人や食材の命への感謝のしるしなのです。

日本の民俗学では、年中行事のお祭りや婚礼のときなどの非日常を「ハレ」、それ以外の日常を「ケ」と分類しており、古来よりケのときは会話をせず静かに食事をしますが、ハレのときは賑やかに歓談してもよいとされています。

「お辞儀」は相手への敬意と感謝のしるし

日本特有の「お辞儀」も、出会った相手への敬意と感謝がベースにあります。
日本人がお辞儀をするようになったのは、仏教が伝わった6世紀以降といわれており、身分の高い人に対して頭を下げることで、自分が相手にとって脅威ではないことを示していました。

現代の日本では、感謝をはじめ、お願い、お祝い、謝罪など、さまざまなシーンで老若男女問わず社会的な儀礼としてお辞儀をします。

お辞儀には座って行う「座礼」と、立って行う「立礼」がありますが、いずれも背筋をぴんと伸ばしたまま、腰を折って頭を下げます。

「おはようございます」や「お疲れ様です」といったあいさつとともに行う「会釈」は、約15度の角度で腰を曲げます。

座りながら行う「浅礼」や、立って行う「敬礼」は約30度腰を曲げ、約3秒間そのままの姿勢を続けてから上体を起こします。

目上の人や大切な顧客などに対して行う「最敬礼」は、約45度腰を曲げ、約3秒間そのままの姿勢を続けてから上体を起こします。

最も丁寧な「謝罪」のお辞儀は、約70度腰を曲げ、約4秒以上そのままの姿勢を保ちます。

企業などが重大な失態を犯したときや、スキャンダルに対する著名人の謝罪記者会見などで、しばしば見受けられます。


ちなみに、座礼の場合は正座したまま両手のひらを地に付け、額が地に付くまで伏せる「土下座」が最敬礼とされています。

江戸時代に大名行列に対して平民が土下座するなど、近代までは庶民が貴人に会う際に土下座をする習慣がありました。

ただ、現在は土下座を強いることは強要罪になることもあり、ドラマの世界以外では見られなくなっています。

「すみません」に込められた感謝と配慮

「すみません、ちょっとお伺いしたいのですが」
「すみません、お土産までいただいて」
「遅くなって、すみません」
「大変すみません、私の不注意でご迷惑をおかけしました」

日本人がよく使う「すみません」という言葉にも、相手への感謝とこまやかな気遣いがベースにあります。

「すみません」とは、「気持ちが済まない」という意味で、江戸時代頃から使われてきた表現です。相手の貴重な時間や手間、お金などの負担をかけてしまったことに対して、『ありがとう」と感謝するだけでは気持ちが済まないという、相手への気遣いが込められています。

謝罪の意味で使うときも、相手に対して失礼があったり、迷惑をかけてしまったことに対するお詫びとつぐないの気持ちが込められています。

英語だと、人に何かを尋ねたり呼びかけたりするときは「Excuse me（エクスキューズミー）」、感謝するときは「Thank you（サンキュー）」、謝罪する場合は「I'm sorry（アイムソーリー）」と言い方が異なりますが、日本語の「すみません」はそれらすべてを兼ね備えた言葉です。

「すみません」とよく似たシチュエーションで使われる「ごめんなさい（御免なさい）」は、「許可」を表す「免」に尊敬を表す「御」が付いた言葉で、相手を敬いながら「お許しください」と許可をお願いする表現です。

「すみません」よりも少し改まった「恐れ入ります」「恐縮です」は、相手に対して「恐れ多い」という敬意と謝意が込められた表現です。

英語の改まった謝罪の言葉は「Apologize（アポロジャイズ）」ですが、これには「お詫びする」という意味の他に「弁解する」という意味もあります。

一方、日本語の最上級の謝罪の言葉である「申し訳ありません／申し訳ございません」

は、「言い訳（＝申し訳）」のしようがないほど自分に非があることを潔く認めるという意味で、自己弁護より相手への気遣いを優先した表現です。

のし袋、ふくさ、風呂敷――感謝を包む心遣い

のし袋、ふくさ、風呂敷など、日本には金品をむき出しで差し出すのではなく、袋に収めたり、丁寧に包んで渡す習慣があります。

お金は不浄のものであるという考えから、直接目に触れたり手に触れないように、お祝いのときに渡すお金は、「のし袋」に入れて渡します。

現代では、のしや水引が印刷されたのし袋が広く使われていますが、「のし」とは、もともとは鮑を薄くのして飾りに使った「のしあわび（熨斗鮑）」で、生ものの象徴でした。贈りものを紙で包み、のしあわびを右肩に貼って添えるのは、贈りものが神さまへのお供えだったことに由来するといわれています。

不祝儀や病気見舞い、災害見舞いなどは、のしのない袋が使われます。

慶弔金を収めた袋は、さらに「ふくさ」で包んで持ち運び、手渡すときにふくさを解いて手渡すのが礼儀とされています。

ふくさは元来は貴重品の入った箱などの上に、ほこり除けのために掛けられていた風呂敷状の布でした。

それがやがて、金品を運ぶ際のほこり除けとして使われるようになったといわれています。

「風呂敷」も、日本人ならではのパッケージ文化を代表する万能アイテムです。

風呂敷という名は、江戸時代に風呂の脱衣所で敷く布として使われたことに由来しますが、古くは貴重な宝物などを保管するための包み布として用いられ、正倉院にも当時の宝物を包んだ布が残されています。

風呂敷はふくさの代わりにもなりますし、物品の形や大きさを問わず包むことができ、軽量でコンパクトに折り畳めるので、物品を渡した後の持ち運びにも便利です。しかも、何度も繰り返し使えてエコロジカルなことから、近年は海外でも注目されています。

ちなみに、日本では贈りものをする際、表書きに「粗品」と書いたり、「つまらないものですが」「心ばかりのほんのささやかなものですが」などとへりくだった表現をします。これは本当に粗末なものを贈るわけではなく、相手を思って贈りものを選んでいても、受け取る相手が恐縮しないようにという気遣いから、あえて謙遜した言い方をするのです。

受け取った側も、その場でいきなり包みを開けるのではなく、「開けてもいいですか？」と贈り主に断りを入れてから丁重に開けるのがマナーです。

一方、欧米では、「あなたのために選んだ素敵なプレゼントなので、ぜひあなたにも喜んでもらいたい！」というスタンスで手渡します。受け取った側も、「うれしい！早く中身を見たい！」と、その場ですぐに包みをビリビリ破って開けるのがスタンダードです。

お手拭き、割りばし、つまようじ――至れり尽くせりの駅弁

駅ごとに独自の凝った弁当が楽しめる「駅弁」も、日本独特の文化です。

駅弁が誕生したのは明治時代です。江戸時代以前は、竹の皮で包んだ「にぎりめし」を旅に持参していましたが、それが徐々に進化してこんにちの駅弁文化に発展していったといわれています。

その土地ならではの山海の珍味や、郷土料理の魅力がぎゅっと詰まった玉手箱のような駅弁は、見た目の繊細な美しさやおいしさはもとより、随所にこまやかなおもてなしの気遣いがなされています。

その代表的なアイテムが、お弁当に必ず付いてくる「お手拭き・割りばし・つまようじ」の3点セットです。

これらはいずれも「移動中の車内や屋外でも気持ちよくお弁当を食べられるように」という、清潔好きの日本人らしい気遣いの現れです。

日本で初めて駅弁にお手拭きを添えたのは、駅弁では日本一販売数が多いといわれる「シウマイ弁当」で有名な、横浜の「崎陽軒」です。


ちなみに、飛行機内では食事の前にお手拭きやおしぼりが提供されますが、世界で最初におしぼりサービスを始めたのは「全日空」です。

日本人が手を清めることにこだわるのは、神道の「みそぎの精神」（第４章参照）にも通じるといえます。

お盆にお供えする精霊馬や水の子にも息づく優しいおもてなしの心

日本ではお盆の時期になると、キュウリやナスに割りばしを挿して馬や牛に見立てた精霊馬や精霊牛もお供えします。

これは、ご先祖さまを送り迎えするための乗りものといわれており、ご先祖さまを大切にするおもてなしの心の現れといえます。


また、地域によってはさいの目に細かく刻んだキュウリやナス、米などを水に浸してご先祖さまにお供えする、「水の子」という風習があります。

ご先祖さまがお盆に帰ってくる際、家に帰れない無縁仏も連れ帰ってくるといわれており、水の子はそうした無縁仏へのお供えなのです。

無縁仏とは、仏教の世界のひとつである餓鬼道に生まれた「餓鬼《がき》」といわれています。餓鬼は生前によくない行いをしたため、死後の世界で飢えや渇きに苦しんでいる者たちです。

つまり、水の子は、悪者であった餓鬼にもご先祖さまと同様にお供えをしてお迎えしようという、慈悲深い心の現れなのです。

キュウリやナスを細かく刻んで水に浸すのは、のどが細い餓鬼にも食べられるようにという優しい気遣いです。こうしたお盆のお供えにも、日本人特有の繊細なおもてなしの心が宿っているのです。

「もったいない」は世界共通語

日本には、古来より米一粒も「もったいない」という考え方があります。単に米一粒にもけちけちするという狭い意味ではなく、感謝してすべていただくという意味です。そのベースにあるのは、神や仏のように目に見えない働きに、自分が生かされていることへの申し訳ないという謙虚な気持ちと、ありがたいという感謝の気持ちです。

「もったいない」の語源は、「この世に独立して存在しているものはない」という仏教の「空《くう》」の思想や、「ものごとはすべてつながって存在している」という「縁起《えんぎ》」の思想に通じるといわれます。

昨今では、「もったいない」は世界共通語になりつつあります。

２００４年に環境分野でノーベル平和賞を受賞したケニア出身の環境保護活動家ワンガリ・マータイさんが、「ＭＯＴＴＡＩＮＡＩ」を世界共通語として広めることで、地球環境に負担をかけないライフスタイルを広め、持続可能な循環型社会の構築を目指そうと働きかけたのが始まりです。

世界共通語の「ＭＯＴＴＡＩＮＡＩ」には、環境活動の３Ｒ＝「Reduce（ゴミ削減）」「Reuse（再利用）」「Recycle（再資源化）」と、地球資源に対する「Respect（尊敬の念）」が込められています。

日本には、言葉にも魂＝「言霊」が宿るという考えがありますが、「ＭＯＴＴＡＩＮＡＩ」の言霊が、地球に生かされていることへの感謝と尊敬と恩返しという形で世界中に広まっていくことを祈っています。

第3章

なぜ日本人は四季の変化を愛するのか？

――無常の美学

季節の営みに育まれた農耕文化

国土が南北に長い日本は、植生が豊富で、同種の植物でも遅咲きや早咲きなどの違いがあり、四季の移ろいと共に多彩な様相を見せます。

四季がある国は日本に限らず、北半球にも南半球にも世界にたくさんあり、決して珍しくはありませんが、日本人は古来より四季の変化をことのほか愛でる傾向があります。

その大きな理由は、日本人の祖先が農耕民族であることと大きな関係があります。生活を営むための仕事のことを「生業《なりわい》」といいますが、この言葉も古くは農耕に従事することや、農作物そのものを意味していました。

春に田畑を耕して稲を植え、種をまき、夏の太陽や恵みの雨に成長を育まれ、やがてたっぷりたわわに実った収穫の秋を迎える――。日本人は稲作をはじめとする農耕を中心に暮らす中で、必然的に季節の微妙な変化を五感で敏感に察知し、自然に対して敬意と畏怖と感謝の念を持って生きてきたのです。

季節の変わり目に厄を祓い、神さまをおもてなしする年中行事

日本古来の「年中行事」も、地域の気候風土や農耕文化と深く結びついています。四季折々の変化とともに農作物が豊かに実るためには、万物を司る八百万の神々を祀るさまざまな年中行事が不可欠だったのです。

1年の始まりである「お正月」は、その年の稲作に関わる最初の年中行事です。門松や鏡餅など、お正月のさまざまな慣習も、五穀豊穣をもたらす「年神さま」を迎えておもてなしをするためのしきたりです。お年玉も、年神さまの恩恵によって1年無事に暮らせますようにという願いを込めて、家長が子どもや使用人にお餅を配ったことに由来します。

立春の前日は「節分」です。
本来は、四季の始まりである「立春、立夏、立秋、立冬の前日＝節分」なのですが、

立春は旧暦で1年の始まりであることから、特に重視されるようになりました。

立春に「福は内、鬼は外」と豆まきをするのは、厄を落として新しい年を迎える準備をするためなのです。

3月3日の「桃の節句」や、5月5日の「端午の節句」なども、季節の節目の日に神さまにお供えする料理＝「節供《せっく》」が語源です。

現代の日本では年中行事もお楽しみイベント化していますが、本来の年中行事は季節の変わり目に厄を祓ったり、神さまにおもてなしをすることが目的だったのです。

日本には、「京都の祇園祭」「大阪の天神祭」「東京の神田祭」の三大祭りをはじめ、全国各地に伝統的なお祭りがありますが、お祭りに欠かせない「お神輿《みこし》」も、神さまのための乗りものです。お神輿が通るとき、花や人形などで華やかに飾り付ける「山車《だし》」も、山車にのせて笛や太鼓などをはやし立てる「祭りばやし」も、神さまへの感謝とおもてなしのあらわれです。

世界一短い詩「俳句」と季節の密接な関係

日本独自の俳句も、季節と密接な関係があります。

俳句は室町時代以降に庶民に広まり、江戸時代に松尾芭蕉が代表作『奥の細道』によって芸術性を高め、明治時代に正岡子規によって成立したといわれています。

5・7・5のわずか17音によって季節感を表現する俳句は、〝世界一短い詩〟といえます。

俳句を作る際には、春、夏、秋、冬、新年の五つの季節を表す言葉＝「季語」を1つだけ入れるという約束ごとがあります。

たとえば、桜は春、入道雲は夏、月は秋、雪は冬、正月は新年というように、季語によって季節が決まっています。

季語の選び方や使い方が、俳句のできばえを大きく左右します。

同じ5・7・5の形式でも、季語が入らないものは「川柳」になります。

季語は、時候、天文、地理、植物、動物、行事、生活などによって分類されており、その数は5000以上もあるといわれています。

季語は平安時代の頃から分類されており、年々新しい季語が増え続けています。

同じ「山」でも、季節によって季語も変わります。たとえば――
「山笑う」は、生気あふれる春山の様子を表す春の季語。
「山滴《したた》る」は、生い茂る山の緑を表す夏の季語。
「山粧《よそお》う」は、紅葉した山を表す秋の季語。
「山眠る」は、静まり返った冬山を表す冬の季語。

中には意外な季語もあります。たとえば――
「子猫」はいつでもいますが、「猫の恋」と共に春の季語になっています。
「麦の秋」は秋の季語と思いきや、初夏に麦が実るので夏の季語です。
「八月」は旧暦では秋なので、夏の季語ではなく秋の季語です。
「まぐろ」は年中食べられますが、実は冬が旬なので冬の季語です。

日本で俳句をたしなんでいる人は１０００万人近くいるといわれていますが、海外にも約70カ国に２００万人以上もの愛好者がいます。

外国語の俳句は、必ずしも5・7・5のリズムではなく、季節感も日本とは異なりますが、短い詩で自然を表現することが重視されています。

アメリカでは「Ｈａｉｋｕ」の授業が行われている小学校もあるようです。

２０１５年に安倍晋三前首相が訪米した際も、バラク・オバマ元大統領がホワイトハウスでの晩餐会で、英語の俳句を披露したことが話題になりました。

手紙にも季節感を表す時候のあいさつが不可欠

手紙を書く際も、「安否を尋ねるあいさつ」の前に、まず季節感を表す「時候のあいさつ」を入れるのが礼儀です。

「時候のあいさつ」にも俳句の「季語」と同じように決まった言葉やフレーズが各月

ごとにあります。

たとえば1月に手紙を出す場合、「初春の候」「迎春の候」「新春を寿ぎ」「正月気分もようやく抜け」「降雪の候」「小寒の折」「大寒のみぎり」「寒気ことのほか厳しく」など、そのときの状況に応じてさまざまに使い分けます。

こうした「時候のあいさつ」は、季節の変化に敏感な日本人らしい、気遣いの文化の表れといえるでしょう。

ビジネス文書の場合も時候のあいさつが必須ですが、季節を問わず使える時候のあいさつの「時下」(「このところ」「今現在」といった意味)を使うケースが多いといえます。

伝統色を表す約300色の和名

梅紫、桜色、山吹色、青竹色、亜麻色、桔梗色、照柿色、枯野色――伝統色の和名にも、四季の情景が鮮やかに反映されています。

平安時代の貴族たちは、衣服を何枚も重ねる「十二単《じゅうにひとえ》」を着ていたため、配色が重視され、季節によって着用する色が決まっていました。これを「かさね色目」といいます。

たとえば、春は表が「紅梅」、裏が「濃蘇芳《こきすおう》」で「つぼみ梅」。

夏は表が「二藍」、裏が「萌黄」で「杜若《かきつばた》」。

秋は表が「濃紅」、裏が「濃黄」で「朽葉」。

冬は表が「鳥の子」、裏が「白」で「氷重」など、季節によって異なる色のコーディネートを楽しんでいたのです。

かさねの配色芸術が生まれた平安時代は、日本の色彩史の黄金期といわれ、季節の草花の色にたとえた新色が飛躍的に増えて、みやびな伝統色の礎《いしずえ》となりました。

「日本の伝統色」と呼ばれる色名は約３００種ありますが、その半数以上に季節の植物に関する名がつけられています。

四季折々の草木や花実に恵まれた気候風土の日本では、季節の植物を天然染料として活かしながら、衣で季節感を愛でてきたことがうかがえます。

雲、雨も季節によって呼び名が多彩

自然に関する情緒あふれる呼び名が多いことも、日本人の繊細な自然観を物語っています。たとえば、雲にはいろいろな呼び名がありますが、雲の形は10種類に集約されます。

夏空によく見られるもくもくした縦長の「入道雲」や、夕立の前に現れる「夕立雲」「雷雲」は、「積乱雲」の別名です。

秋空に多い「ひつじ雲」「うろこ雲」は、「積雲」の別名です。

空一面を薄い白や灰色の幕で覆うような雲を「おぼろ雲」といいますが、これは「高層雲」の別名です。おぼろ雲でうっすら覆われた月は、「おぼろ月」と呼ばれたりします。

空一面にどんより広がった分厚い雲は、今にも雨や雪を降らせそうなことから「雨雲」「雪雲」と呼ばれますが、「乱層雲」の別名です。

雨を表す日本語も、４００種類以上あるといわれています。

これは、日本が高温多湿で雨の多い気候風土であることや、農耕に雨の恵みが不可欠であったことに由来します。

恵みの雨を「慈雨《じう》」と呼んだり、日照りの後に降る雨を「喜雨《きう》」と呼ぶのも、農耕民族である日本人ならではの感性といえます。


多彩な雨の名前を挙げると――

晩春にしとしと降る「春雨」。

菜の花が咲く頃に振る「菜種梅雨」。

旧暦5月の長雨を指す「五月雨《さみだれ》」。

雨が少ない梅雨を指す「空梅雨《からつゆ》」や「枯れ梅雨」。

新緑の頃に降る「緑雨」。

雨脚が白い夏の夕立を指す「白雨《はくう》」。

夏から秋に降る「秋雨（あきさめ、しゅうう）」。

秋に長く降り続く「秋湿り」「秋霖《しゅうりん》」。

晩秋から冬にかけて降る「時雨《しぐれ》」。

みぞれや雪に変わる前の冷たい雨「氷雨」。

——などなど、情景が浮かぶような詩情豊かな雨の名がたくさんあります。

雨の名前がこんなにもたくさんあるということは、それだけ雨が日本人の暮らしに密接であることを物語っています。

虫の鳴き声を聞き分ける日本人

「ツクツクボーシツクツクボーシ」といえば、セミのツクツクボウシの鳴き声。

「カナカナカナカナ」といえば、セミのヒグラシの鳴き声。

「スイッチョンスイッチョン」といえば、キリギリスに似たウマオイの鳴き声。

そんな風に、日本人は虫の声を言語のように聞き分けます。

一方、ポリネシア以外の外国人は虫の声を聞き分けることができません。

東京医科歯科大学の角田忠信教授の研究によると、日本人は虫の声を言語脳といわれる左脳で聞いていますが、外国人は虫の声を音楽脳といわれる右脳で雑音や機械音のように聞いているそうです。

ただ、外国人でも日本語を母語として育つと、虫の声が聞き分けられるようです。

虫の声だけではありません。

「シトシト」「ザーザー」といった雨音。

「ザワザワ」「ビューッ」といった風の音。

「チャプチャプ」「ザブーン」といった波音。

「サラサラ」「チョロチョロ」といった小川のせせらぎ。

こうした自然を表現する音も、日本人は左脳で聞き、西洋人は右脳で聞いているそうです。

虫や雨風、波などの自然にも、生きものとして異なる「声」や「思い」があるという感覚は、八百万の神を敬愛してきた日本古来の自然観とも符合します。

自然を迎え入れる「引き」の文化

よく日本の美意識のことを「引き算の美学」といいますが、日本には古来より「引き」の文化があります。

日本特有の美意識のひとつである「わび・さび」の文化も、「足す」のではなく、「引く」ことで逆に美しさを際立たせたり、充足を感じることです。

たとえば、石や砂利だけで構成された日本特有の石庭「枯山水」は、足さずに引くことで大自然の豊かさを表現しています。

日本の包丁は引いて使うのが基本ですし、扉にも「引き戸」があります。引くことは、引き込むことであり、自然を迎え入れるという精神にも通じます。旬の食材も包丁を引いて迎え入れ、光や風も引き戸を引いて迎え入れているのです。

伝統的な日本家屋には、内と外の環境をゆるやかにつなぐ土間や縁側、庇、光や風を柔らかに通す障子や格子戸など、自然を引き込む仕掛けが随所に見られます。

日本家屋は「紙と木の家」とよくいわれますが、古来より日本人は、夏の蒸し暑さや冬の寒さをかたくなにシャットダウンするのではなく、呼吸する木材や和紙、土を使うことで、季節の気配をしなやかに迎え入れながら、自然と共存してきたのです。

東京オリンピック２０２０のメイン会場になった「新国立競技場」を設計した建築家の隈研吾氏は、「和とはスタイルでなく、周囲の環境と建築の調和のひとつ。日本が何千年もかかって磨いてきた環境技術こそが〝日本らしさ〟なのでは」と語っています。

隈研吾氏は自著『負ける建築』で、自己主張するのではなく、周囲の自然環境に融け込むような建物を建てることを提唱しています。

自然に勝って支配しようとするのではなく、「負ける」という思想も、まさに自然をしなやかに迎え入れようとする日本の引きの文化に通じる美学といえます。

自然の豊かさを凝縮した盆栽の小宇宙

「盆栽」も、自然の美しさを暮らしの中に招き入れて愛でる日本の文化のひとつです。

盆栽の起源は、2000年以上昔の古代中国の「盆景」ですが、盆石と呼ばれる石をダイナミックに配して山水の景色を表現した盆景は、樹木の枝葉の広がりの見事さや、鉢土とのバランスを重視する日本の盆栽とは趣向が異なります。

日本に盆景が伝わってきたのは平安時代から鎌倉時代といわれており、日本独特の盆栽文化が育まれてきました。

室町時代の8代将軍足利義政や、江戸時代の3代将軍徳川家光も盆栽の愛好家だったといわれています。現代の皇居でも、専用の盆栽仕立て場で約600点の盆栽を育てており、徳川家光が愛蔵したと伝えられる樹齢約550年の五葉松の盆栽「三代将軍」を含む名品が、今も大切に保管されています。

今では海外でも「BONSAI」として広く知られていますが、日本の盆栽は単なる観葉植物とは趣が異なります。

日本の盆栽の真髄は、小さな盆栽によっていかに雄大な自然の美しさを表現できるかという点にあります。小さな鉢は、いうなれば森羅万象を凝縮した小宇宙なのです。

盆栽をはじめ、坪庭や小さな茶室、短い言葉に花鳥風月を凝縮した和歌など、日本では古来より小さなものに美を見出してきました。

平安時代の随筆家・清少納言も、随筆『枕草子』の中で「小さきものはみなうつくし」と書いていますが、小さな世界を愛でる心も日本の文化を象徴しているといえるでしょう。

移ろうものを慈しむ「もののあわれ」の無常観

「祇園精舎《ぎおんしょうじゃ》の鐘の声、諸行無常《しょぎょうむじょう》の響あり。娑羅双樹《さらそうじゅ》の花の色、盛者必衰《じょうしゃひっすい》の理《ことわり》をあらはす」

これは、鎌倉時代に編まれた『平家物語』の有名な冒頭です。

平清盛が率いる平家一族が勢力を日本各地に急激に拡大し、栄華を誇った果てに源氏によって滅されていく栄枯盛衰の物語を見事に凝縮、象徴した一節です。

「諸行無常」とは、すべてのものごとは永遠には続かないという意味で、永遠性を求める西洋的な理想とは対極の精神です。

そこには、「形あるもの、盛りを迎えたものはやがて必ず消えてしまう」という、「もののあはれ」に通じる仏教的な「無常観」があると考えられます。

永遠に存在せず、いずれ消えてしまうからこそ、移ろう季節を慈しみ、はかない命に感謝する気持ちが生まれるのです。

春になると一斉に咲き誇り、瞬く間にはらはらと舞い散っていく桜の風情を、日本人がことのほか好むのも、桜のはかなさに美を見出しているからです。

命も自然の授かりもの――尊厳死・平穏死を望む日本人

日本人の平均寿命は84・62歳（男性81・47歳、女性87・57歳／２０２１年調べ）で、世界トップクラスの長生き国です。

平均寿命に対して、心身ともに自立して健康でいられる年齢を健康寿命といいますが、ＷＨＯ世界保健統計２０２３年版では、健康寿命が最も長かったのが日本で男女平均74・１歳でした。

ただ、平均寿命と健康寿命の差が10歳ほど離れているので、晩年は10年前後の介助が必要になる高齢者が増えます。延命治療の選択を迫られるケースも少なくありませんが、日本人の９割は「延命治療を行わないでほしい」と考えています（『週刊文春』アンケートより）。

救急医療の現場でも、人工呼吸器を外し、つながれていた管を抜き、最期を自然に委ねる「延命中止」という選択が広がりつつあります。

自分自身が不治かつ末期の病態になったとき、自分の意思により、自分が望まない延命措置を中止し、人間としての尊厳を保ちながら死を迎えることを「尊厳死」といいます。日本尊厳死協会が定義する「尊厳死」は、医師・石飛幸三氏の造語である「平穏死」と基本的に同じ意味です。

一方、「安楽死」は、苦痛から患者を解放するために、積極的な方法で死期を早める医療的措置を行うことなので、自然に死を迎える「尊厳死」「平穏死」とは異なります。

欧米では、安楽死も医師のほう助による自殺も「Death with dignity」と呼ばれて認められていますが、日本では安楽死も自殺ほう助も法的に認められていません。

日本は世界一の長寿国で、最期は病院で迎える率が約8割と高い傾向がありますが、日本人の根本には、人間も自然の一部であり、自然から授かった命を自然に返すという死生観があるといえます。

第4章

なぜ日本人はきれい好きなのか？

――みそぎの精神

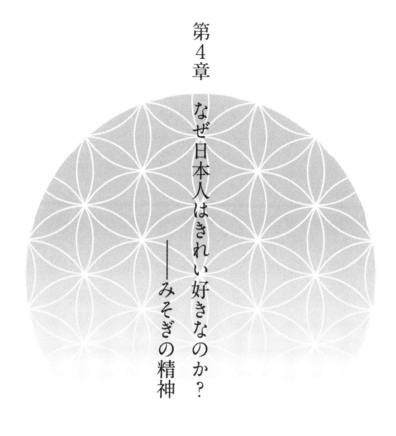

日本人のきれい好きの原点「みそぎ」とは？

「日本の空港は床がツヤツヤ！」
「日本国内を走っている車はどれもピカピカ！」
「日本のトイレはどこも清潔だし、温水洗浄便座が標準装備されている！」

そんな声が、日本を訪れる外国人の方々からよく聞かれます。

世界的に見ても日本人が非常にきれい好きであるといわれるのは、古来より「けがれ（穢れ）」を忌み嫌い、「みそぎ（禊）」によって身を清める習性に由来します。

みそぎとは、神道で重大な神事などを行う前に、身体を冷たい水で洗ったり、滝や川、海などの水で洗い清めることです。

みそぎの語源は、身を洗い清めることを意味する「みそそぎ（身滌・身濯）」です。

第1章で触れましたが、日本神話に登場する「イザナギ」が、亡き妻「イザナミ」と黄泉の国で別れ、黄泉でけがれた衣を脱ぎ捨て、入江で身体を洗い清めたという話がみそぎの始まりといわれています。

このとき、イザナギが左目を洗うと「アマテラス」が誕生し、右目を洗うと「ツクヨミ」が誕生し、鼻を洗うと「スサノオ」が誕生しました。

つまり、日本の始祖といわれる女神「アマテラスオオミカミ（天照大御神）」も、みそぎによって生まれたのです。

伊勢神宮参拝前には海でみそぎをするのがならわし

アマテラスオオミカミが祀られている「伊勢神宮」は、日本の神社の最高峰です。江戸時代には「お伊勢参り」が大ブームになり、全国津々浦々から参拝客が訪れました。

伊勢神宮を参拝するときは、まず伊勢市二見ヶ浦の立石浜で、潮水を浴びて身を清めてみそぎをするのが古くからのならわしでした。

現在でも、伊勢では海に入って身を清める昔ながらのみそぎが行われています。海に入れない場合は、浜辺にある「二見興玉神社《ふたみこしたまじんじゃ》」に参拝し、そこで無垢塩のお祓いを受けるか、霊石から採取した「無垢鹽草《むくしおくさ》」を社務所で授かり、それを身に着けて身を清める略式のみそぎスタイルもあります。

京都の「下鴨神社」にある有名な「御手洗池《みたらしのいけ》」も、さまざまな儀式のみそぎに使われています。土用の丑の日前後には、御手洗池に足を浸して無病息災を願う「足つけ神事」が行われます。

他にも、日本各地に神輿をかつぎながら海や川に入ったりする裸祭りがありますが、これもみそぎの儀式が祭礼化したものです。

また、武道の寒稽古のひとつとして、真冬に冷たい滝に打たれたり、厳寒の海や川で泳いだりするのも、精神の雑念を祓うみそぎの一種といえます。

見た目の汚れを落とすだけでなく、心の美しさを大切にするのが、日本人の美的精神なのです。

神社では参拝前に手水舎でみそぎをするのがマナー

日本の神社には、必ず水場にひしゃくが置かれた「手水舎《てみずや》」があります。これは、参拝前に身を清めるみそぎを簡略化したものです。参拝者は手水でみそぎをしてから神さまに参拝するのがしきたりです。

手水で清める順番は、まず右手でひしゃくの柄を持って水をすくい、左手を洗います。

次に、ひしゃくを左手に持ち替え、右手を洗います。

再び、右手にひしゃくを持ち替え、左の手のひらでひしゃくの水を受けて、口をすすぐ仕草をします。ここで水を飲んだり、ブクブクペッとうがいをするのは誤りです。

最後に、右手に持ったひしゃくの水で左手をもう一度すすいだら、ひしゃくを立て、残った水が下に伝い落ちることで柄を清め、元の位置にひしゃくを伏せて戻します。

湯舟に浸かることは、生き返ること

日本人はお風呂好きなことでも知られていますが、これもみそぎの習慣に由来します。「お風呂」「お湯」と「お」をつけて敬うのも、風呂や湯を神聖なものとみなしていたからです。

一般に、欧米の入浴はシャワーが中心で、バスタブも湯に浸かる場所というより、石けんを泡立てて身体や髪を洗う場所として使われます。

一方、日本のバスタブは「浴槽」「湯舟」と呼ばれ、「槽」や「船」は死者の魂を蘇らせる入れものを意味しています。また、けがれは「気枯れ」ともいい、身体が汚れると、元気も枯れてしまうことを意味しています。

湯舟に浸かって身を清めることは、すなわち生き返ることなのです。

日本では古くから湯舟に浸かると「あ〜極楽、極楽」という決まり文句をいう習慣がありますが、お風呂に入ってけがれを清めることで、極楽から蘇るような心地を表した言葉です。

お風呂好き日本人を象徴する銭湯文化

現代のように各家庭にお風呂がなかった時代は、僧侶が身を清めるための「浴堂」を庶民に開放する「施浴」が行われていました。

一部の裕福な家では、おもてなしの一環として客を風呂に招くようになり、江戸時代には町ごとに庶民向けの公衆浴場「湯屋」や、「風呂屋」が作られるようになりました。

ちなみに、アカデミー賞やベルリン国際映画祭など、世界各国の映画賞を受賞した人気アニメーション映画『千と千尋の神隠し』の舞台も「湯屋」でした。

この映画に登場する湯屋には、日本神話に出てくる「八百万の神」が大勢訪れます。

第二次世界大戦後は「銭湯」が主流になり、昭和30〜40年代の最盛期には日本全国に2万軒以上の銭湯があったといわれています。

昔ながらの銭湯には、富士山のペンキ絵が描かれており、そのすぐ下に浴槽があります。これも、神聖な霊山の水を湛えた湯舟で身を洗い清めるみそぎのイメージに通じます。

お風呂好きな日本人特有の銭湯文化は年々減少していますが、古代ローマ人が日本の風呂文化を再発見するマンガ『テルマエ・ロマエ』が近年話題になり、銭湯文化が見直されつつあります。

「Google日本支社」の待ち合わせスペースも、富士山のペンキ絵が描かれるなど、日本の銭湯をモチーフにした内装になっています。

世界一の温泉大国日本――温泉もみそぎの場だった

神仏に祈願して冷たい水で心身のけがれを清めてみそぎをすることを、「垢離《ごり》」や「水垢離」といい、温泉でみそぎをすることを「湯垢離《ゆごり》」といいます。

日本人は温泉好きなことで知られていますが、本来の温泉浴は精神を清浄にする「湯垢離」や、病を癒す「湯治」が目的でした。

『古事記』や『万葉集』をはじめ、『出雲風土記』などには、日本各地の温泉の効能が記されています。

江戸時代には、庶民が温泉に出かける習慣が広まりました。

温泉が古くから「若返りの湯」といわれているのも、湯舟に浸かることが生き返ることであるという日本人特有の考え方に通じます。


日本人が温泉を好む背景には、地形的な条件も関係します。

世界各国、火山帯のある所には、熱いお湯が噴き出す温泉は多数ありますが、日本には地球の活火山の約10％に相当する100以上の活火山が集中しています。

そのため、日本には源泉数が2万以上もあり、世界一を誇っています。

温泉地も3000カ所以上あり、温泉旅館特有の繊細なホスピタリティには、日本のおもてなし文化の真髄があります。

けがれも過ちも「水に流す」心意気

日本人はよく、罪や過ちを許すことを「水に流す」といいます。

昔は水道がありませんから、「水に流す」とは、「川に流す」ということです。

ただし、けがれをきれいさっぱり流してしまうためには、流れの速い川でなければなりません。そうすれば、水が澱むことなく、すぐに清らかになるからです。

実際、日本の川は流れが速いことで知られています。

日本列島には標高3000m前後の山脈が背骨のように走っており、河川の上流と下流の標高差が大きいわりに、長さが短いため、必然的に流れが速くなるのです。

たとえば、富山県に流れる全長56kmの常願寺川は、上流と下流の標高差が約3000mもある世界有数の急流です。

明治時代に常願寺川の工事に参加したオランダ人技師は、「これは川ではなく、滝だ!」といったそうです。

日本では、こうした川の流れの速さを利用して、かつては川で用を足し、ゴミを捨てていました。京都の鴨川でも、大昔は亡骸を流して水葬にしていたといわれています。「流るる水は腐らず」ということわざもあるように、「水に流す」という表現は、川の浄化作用をよく知っている日本人ならではの感覚といえます。

一方、過ちを犯したときに、「すまない」と謝罪しますが、これは「自分が川の流れを止めて、水が澄んでいない状況にしてしまっている」ことから、「澄まない」という意味であるという説があります。

他にも、あまりに清廉潔白な人は周囲になじまないことを意味することわざ「水清ければ魚住まず」や、メリットもデメリットも分け隔てなく許容するという意味の「清濁併せ呑む」といった慣用表現があります。

元来きれい好きだけれど、人間社会の「澄まない」ものごとは寛容に受け入れる日本人の心意気がよく表れているといえます。

なぜ玄関先に塩を盛ったり、相撲の土俵で塩をまくのか？

日本では、家や店舗の玄関先に、塩を円錐型にして盛る「盛り塩《もしお・もりじお》」の風習があります。盛り塩には厄除けや縁担ぎの意味があり、奈良時代頃から見られたようです。起源は諸説ありますが、お葬式後にけがれを祓うために塩をまく風習や、神棚に生命に不可欠な水と塩を供える神道の風習に由来するのではないかといわれています。

古来より、海からとれる塩水には生命力や浄化力が宿っていると考えられており、海の潮水で水浴してみそぎをすることを「潮垢離《しおごり》」といいます。相撲で塩をまくのも、土俵を塩で清めるためです。相撲は神事のひとつでもあったので、土俵は神聖な場所とされていたからです。

まかれる塩は、「清めの塩」「波の花」「力塩」などと呼ばれており、大相撲では1日に約45kgもの塩が土俵にまかれています。

塩は防菌や防腐に役立つことから、土俵に塩をまくことで力士が負う傷の菌を防ぐという実用的な意味もあるのです。

塩以外にも、力士が土俵に上がる際、直前に勝った力士が「清めの水」や「力水」と呼ばれる水を桶からひしゃくですくって渡すしきたりがあります。

取組をする力士は、渡された水で口をすすぎ、次に渡される「力紙」を口元に当てて水を吐き出します。

現代の力水にはミネラルウォーターが使われているようですが、あくまでもお清め用なので口に含んでも飲むことはありません。

清掃の起源はけがれをはらう神事に由来

神事の浄化儀式には、みそぎの他に、「はらえ／はらい（祓）」があります。

神道では人は日々生きていくうえで知らず知らずのうちに過ちを重ねていると考え、それをはらうために神社では、６月末に「夏越《なごし》の祓《はらえ》」、12月末に「大祓《おおはらえ》」という神事が行われます。

いずれも、ススキなどを束ねて大きな輪にした「茅《ち》の輪《わ》」を神社の参道に置き、紙を人の形に切り抜いた人形《ひとがた》に託して、心身のけがれをはらうのです。

神さまはきれい好きなので、目に見えないけがれも、目に見える汚れも嫌うと考えられていました。

神社でけがれをはらう際に使う「おおぬさ（大幣、大麻）」は、榊の枝や白木の棒に紙や麻の房が下がっており、清掃用具の「はたき」に似た形をしています。

『古事記』には、ほうきやはたきを意味する「玉箒《たまははき》」「帚持《ははきもち》」という名が出てきます。

当時のほうきは清掃道具というより、けがれをはらう神聖な用具であり、箒神《ははきがみ》という神さまが宿っていると考えられていたようです。

平安時代に書かれた『延喜式』には、年末に1年の煤《すす》をはらう「すすはらい」の仕方などが詳しく書かれています。すすはらいも単なる清掃ではなく、新年の年神さまを迎える前に厄払いするための行事でした。

鎌倉時代には、禅宗の修行の一環として、日常的にほうきで汚れを掃き清める習慣が根付いていきました。

江戸時代には、たたみを清掃するためのシュロのほうきが普及しました。この時代は、ゴミの不法投棄を取り締まるお目付け役も決められており、江戸城下は世界有数の100万人都市だったにもかかわらず、非常に清潔だったといわれています。

ハーバードの教材にもなった驚異の新幹線清掃

アメリカ人ジャーナリストが、2016年に日本の新幹線の清掃風景を撮影した映像を「7minutes miracle（7分間の奇跡）」と題してYouTubeで公開（https://www.youtube.com/watch?v=kt92-ZDm-HM）したところ、世界中で600万回以上も再生されてニュースになりました。

この映像には、新幹線が東京駅に停車しているわずか7分間に、株式会社テクノハートTESSEIの清掃作業員が、車内を驚異的なスピードと正確さで清掃・点検する一部始終がまとめられています。

作業員が1人で1車両を担当するので、1席の清掃にかけられる時間はわずか10秒程度です。

にもかかわらず、シートを元に戻し、テーブルを拭き、床や荷台のゴミを取り除き、忘れ物などをくまなくてきぱきチェックする様子はまるで早回しのようです。

席を適当に飛ばしたり、手抜きやごまかしをすることは決してなく、全神経を使って集中して作業するプロフェッショナルな動作には、一切のムダがありません。

もちろん、時間内にデッキやトイレの清掃もしっかりこなします。

さらに、清掃が時間内にすべて完了すると、最後に洗練された制服を身に着けた清掃作業員全員がホームに一列に整列し、定刻通りに出発する新幹線に向かって丁寧にお辞儀をして見送るのです。

「新幹線劇場」と呼ばれて世界中で絶賛されるこの映像は、ハーバードビジネススクールの教材にも使われているそうです。

清掃作業員が限られた時間内に複雑な清掃オペレーションをこなすこの映像には、「お客さまは神さま」と考え、けがれをきれいにはらい清めることを「おもてなし」と考える日本人の精神性が、見事に凝縮されています。

日本人家庭の8割以上に普及している温水洗浄便座

「温水洗浄便座」は、きれい好き日本人を象徴するアイテムの1つです。

1960年代にアメリカで医療用に作られていたものをベースに、日本のメーカーが独自に開発した温水洗浄便座は、世界最先端の機能を誇っています。

内閣府の消費動向調査（2018年3月）によると、2人以上世帯の家庭の温水洗浄便座普及率は8割を超えています。

分譲・賃貸住宅や商業施設、宿泊施設などに標準装備されているのはもちろん、空港や高速道路などの公衆トイレにも設置されています。

世界各国の高級ホテルでも、日本製の温水洗浄便座を導入する事例が増えています。

訪日外国人が、日本で初めて経験した印象深いできごととしても、温水洗浄便座体験がよくランキングに上がります。

ミュージシャンのマドンナも、来日時に「日本の温かいトイレシートが恋しかった」と語ったという有名なエピソードがあります。

マドンナは、公演で移動する際も、宿泊ホテルやライブ会場の楽屋に自分専用のマイ温水洗浄便座を設置させているといわれています。

俳優のレオナルド・ディカプリオも、ハリウッドの豪邸にTOTOのハイスペックな温水洗浄便座を設置しているそうです。

学校の清掃や給食の片付けを生徒がするのは日本だけ

日本では、教室の掃除や給食後の片付けを生徒が行いますが、他国では珍しいことです。なぜなら、他国では掃除は学習の一環ではなく、清掃作業員の仕事だからです。

日本の２０１７年改訂版学習指導要領には、キャリア教育の一環として、「清掃などの当番活動や係活動等の自己の役割を自覚して協働することの意義を理解し、社会の一員として役割を果たすために必要なことについて主体的に考えて行動すること」と書かれています。

生徒による掃除が法律的に義務付けられているわけではありませんが、教育的な意義があることから実施されているのです。

生徒が自分たちの使う教室や廊下やトイレを清掃することで、「こんなに汚れるものなのか」「もっときれいに使おう」という気付きや自覚が芽生え、学び舎を自ずと大切に使うようになります。

江戸時代に子どもたちが読み書きや算術を学んだ「寺子屋」でも、掃除は大切な日課でした。

「日本人は後片付けをきちんとする」「ゴミを行儀悪くポイ捨てしない」とよくいわれるのも、学校で培われた清掃習慣が身についているからです。

ワールドカップで注目された「立つ鳥跡を濁さず」の精神

サッカーのFIFAワールドカップが開かれるたび、試合後に日本人サポーターが持参したゴミ袋に会場のゴミを回収している姿が海外で報道され、話題になります。これは、どこに行こうとも後始末をきちんとする「立つ鳥跡を濁さず」の精神の現れといえます。

日本では古来より、人間以外の道具や場に対しても礼儀をはらうことが大切にされてきたので、「使う前より美しく」という考え方が浸透しています。海外では毎度、驚きを持って報道されるサポーターのゴミ拾いも、偽善的なパフォーマンスではなく、日本ではごく当たり前の精神なのです。

２０１８年の「FIFAロシアワールドカップ」では、試合後にチリひとつなくきれいに整頓され、〝スパシーバ（ロシア語で「ありがとう」の意）〟という手書きメッセージが残された日本代表のロッカールームの写真を、FIFAのロシア人スタッフがSNSに公開して話題を呼びました。

その写真には、スタッフの次のようなコメントが添えられていました。

「これは、ベルギーに敗れた後の、日本チームのロッカールームです。

スタジアムのファンに感謝し、ベンチもロッカールームもすべてを掃除し、メディアの対応をする。そして、〝ありがとう〟と書き置きまでする。

彼らと共に働けたことを名誉に思います！

これは、すべてのチームにとって模範となります！」

トーナメント１回戦の後半で大逆転されて惜敗し、きっと悔しさで胸がいっぱいだったはずの日本代表チーム。そんな中でも、ロッカールームをきちんと片付け、現地語で「ありがとう」というメッセージまで残す気遣いは、まさに「立つ鳥跡を濁さず」の精神そのものです。

第5章

なぜ世界で和食ブームが起きているのか？

——世界最長寿の知恵

「和食」はユネスコの世界無形文化遺産

「和食」は、2013年にユネスコの世界無形文化遺産に登録されました。世界各国には、その地に固有の素晴らしい伝統料理がたくさんありますが、世界無形文化遺産としては、「フランスの美食術」や「メキシコの伝統料理」「地中海の食事」「トルコの伝統料理ケシケキ」に次ぐ世界5番目の登録です。

海外消費者調査では、中国、香港、台湾、韓国、フランス、イタリアの6カ国で「好きな外国料理」のトップに和食が選出されています（2013年ジェトロ調べ）。また、海外の日本食レストラン数も2017年には11万7568店となり、その10年前から、約5倍に増えています（2017年農林水産省調べ）。

『ミシュラン・ガイド東京2023』に選ばれた三ツ星店も、その約5割以上が和食店です。フランス料理のジョエル・ロブション氏や、モダンスペイン料理のフェラン・アドリア氏など、世界の名立たる料理人たちも、和食の調味料やだしを自作の料理に採り入れています。

和食は「旬」を生かす知恵の宝庫

和食の最大の特徴は「季節感」です。米や穀類、野菜やくだもの、魚介には、見た目の彩りや風味、うまみ、栄養価が最高に充実している「旬」があります。

この旬を生かす知恵が詰まった和食は、移ろう季節の機微に敏感な日本人の繊細な感性によって培われた「食べ頃」の文化なのです。

食べ頃の食材を摂取するということは、全身で自然との一体感を味わうことでもあります。

日本人の祖先は縄文時代から、この食べ頃を守ってきたといわれています。

その時季にしか食べられない旬の食材を愛で、その食材が持つ滋養を最大限に摂り込む調理を工夫してきたのです。

旬の味わいを大切にするからこそ、里山の山菜やキノコなどを根こそぎ採り尽くしてしまったりせず、次の季節にまた育つように配慮してきました。

伝統的な和食は、自然のサイクルを大切にするエコロジカルな知恵の宝庫なのです。

素材の持ち味で勝負する「刺身文化」

和食は、素材の美食文化ともいえます。旬の食材は栄養価が高く、うまみや風味があるので、素材の持ち味だけで生でも美味しくいただけるのです。

煮炊きをしなくても食べられるということは、火を通すことで栄養やうまみを損なうこともないということです。

特に新鮮な魚は、細胞が壊れるとうまみを損なってしまうので、切れ味のよい刃でスパッと切って生で食べるのが理想的です。

日本人の祖先は、そのことを経験的によく知っていたのでしょう。日本人の魚の生食の歴史は古く、『万葉集』にも鯛の生食を詠んだ歌があります。「刺身」は、正統な日本料理のメインディッシュに相当するものですが、国土の四方を海に囲まれ、新鮮な魚が手に入りやすいことが、日本に刺身文化が根付く大きな要因になったといえます。

生の刺身を食べる際には、刺身包丁もまな板も、盛り付ける器も、ばい菌が繁殖しないように清潔にしておく必要があります。

第４章で、日本人がきれい好きな理由についてさまざまな側面からお話ししましたが、刺身もきれい好きな日本らしい食文化といえます。

旅行家のイザベラ・バードは、明治時代に来日した際、身なりや家屋が貧しい民衆であっても、「料理の仕方とその料理を供するやり方は極端に清潔」と語っています。

長寿国日本の食文化の基本――栄養バランスに優れた「一汁三菜」

和食の基本は、主食のご飯と「一汁三菜《いちじゅうさんさい》」です。

一汁三菜のベースになったのは、武家社会の本膳料理です。

それが江戸時代に庶民にも広まり、和食の伝統スタイルとなったのです。

まず、「主食」は白米や玄米を炊いたご飯で、左手前が定位置です。

「一汁」は季節の野菜、海藻、豆腐などのみそ汁か吸い物で、右手前に置きます。

「三菜」は、「主菜」「副菜」「副々菜」という三品のおかずです。

膳の向こうに置く「主菜」は、なますや刺身などです。

左奥の外側に置く「副菜」は、焼き魚または季節の野菜の煮物などです。

左奥の内側に置く「副々菜」は、季節の野菜や海藻、または納豆・煮豆などです。

中央には、季節の野菜のぬか漬けなど香のものを置きます。

一汁三菜には旬の食材を使い、盛り付けにも季節感のあるあしらいをします。食べる人に視覚、嗅覚、触覚、味覚、聴覚の五感で喜んでもらえるように気遣うのが、和食のおもてなしの心なのです。

栄養バランスの面でも、一汁三菜は理想的です。

主菜から動物性タンパク質を摂取し、汁物と副菜と副々菜から各種ビタミン、ベータカロテン、食物繊維、ポリフェノール、タンパク質などを摂り、香のものでビタミンB1や乳酸菌、アンチエイジングに役立つ抗酸化物質を得ることができます。

日本人は世界屈指の長寿国（※２０２１年厚生労働省調べの平均寿命は、女性が87・57歳、男性が81・47歳）として知られますが、その背景には、栄養バランスに優れた一汁三菜の食生活にあるのではないかといわれています。

ちなみに、日本には「腹八分目に医者いらず」ということわざがあり、満腹になるまで食べず、ほどほどの腹八分目にしておくことを奨励する慣習があります。これも、日本独特の健康の知恵として浸透しているといえます。

一汁三菜は欧米型の食事より栄養バランスがよく、脂質の摂取量も少なくなるので、ヘルシーなダイエット食としても注目されています。

アメリカで1977年に発表された有名な「マクガバン・レポート」(数千人の被験者の食生活を2年間追跡調査した報告書)では、日本の伝統的な和食が理想的な食事として紹介されたこともあります。

お正月のおせちは「一汁三菜」の豪華バージョン

お正月に食べるおせち料理の重箱は、「一汁三菜」の豪華版といえます。

重箱は上から「一の重」「二の重」「三の重」「与の重」の順で重ねます。最下段は「四の重」となるところですが、四は死を連想するので、最下段は「与の重」とするのがポイントです。

それぞれの段の重に入れる料理には決まりがあり、中でも最重要とされているのが「一の重」に入れる「祝い肴」です。

関東では祝い肴に、「黒豆、数の子、ゴマメ」を使います。

関西では「黒豆、数の子」に、ゴマメではなく「ゴボウ」を使います。

黒豆がおせちに使われるのは、真っ黒になるまでまめに過ごせるようにという意味があるからです。

これらの三菜が「一の重」にあれば、おせちが整うといわれています。

おせちというと豪華なイメージがあるかもしれませんが、伝統的なおせちに用いるのはいずれも貧しい庶民でも調達しやすかった食材です
祝い肴には、他にかまぼこやだて巻き、昆布巻き、きんとん、寄せ物などの「口取り」も添えます。
次の「二の重」には、尾頭付き鯛の焼き物が入ります。赤い鯛は生命力の源である太陽の象徴です。「三の重」には五色なますなどの酢の物が入り、「与の重」には煮しめなどの煮物が入り、これに主食のお餅と汁物を添えると、伝統的なおせちの完成です。

一汁三菜の知恵がぎゅっと詰まったおせちは、新しい年の無病息災を願う縁起物の役割も担っており、食べる人の身体にも精神にも活力を与えるパワーフードなのです。

しょう油、日本酒、つけもの――世界有数の「発酵文化」

和食の味付けには、しょう油、みそ、酢、みりん、などを使った発酵調味料が欠かせません。高温多湿な日本の気候風土が、日本人のソウルフードともいえる多彩な発酵食品を生み出しました。

たとえばつけものは、野菜をみそ、酢、酒粕、ぬかなどに漬け込んだ発酵食品です。納豆は、大豆を納豆菌によって発酵させた発酵食品です。世界一硬い発酵食品といわれるかつお節の「枯節」も、かつお節菌を発酵させて作ります。日本酒や甘酒も、米麹の酵素で発酵させた発酵食品です。

酒粕も、日本酒を発酵させる過程で生成される発酵食品です。

麹菌（Aspergillus oryzae ＝アスペルギルス・オリーゼ）は２００６年に、日本を代表する菌として、「国菌」に認定されています。

微生物の力で発酵した発酵食品には、消化能力や免疫力を高めたり、血行や排泄を促進するのに役立つ酵素が豊富に生きています。

米をはじめとする炭水化物を消化促進するのにも、酵素の働きが必要です。

発酵食品がたっぷり含まれた和食を食べることで、身体に必要な酵素を自然に補えるのです。

みそは日本人の食生活に欠かせないスーパーフード

みそ汁は一汁三菜に欠かせませんが、古代のみそは豆や穀物を塩漬けにした保存食に近く、地位の高い者しか口にできない貴重な食べものでした。

鎌倉時代に吉田兼好が著した『徒然草』の中には、時の執権の北条時頼が器にこびりついていたみそを肴にして酒を飲んだというエピソードが書かれています。

戦国時代には、みそは戦地に携帯する栄養源の「兵糧《ひょうろう》」として用いられました。「腹が減っては戦ができぬ」ということわざがありますが、戦国武将の武田信玄や伊達政宗もみそ作りを奨励しました。

「みその医者殺し」ということわざがありますが、これは栄養豊富なみそを摂取していれば病気にならないという意味です。

江戸時代になると庶民にもみそが普及し、各地でさまざまなみそが作られるようになり、樽で量り売りされていました。

慣用句の「手前みそ」の「手前」は「自家製」という意味ですが、趣向を凝らした自家製みそが作られたことに由来します。

1970年代以降は、プラスチック容器やビニール袋入りのみそが市販されるようになりました。現代ではフリーズドライのみそ汁や、お湯で溶くだけでできる即席のカップ入りみそ汁が普及しており、宇宙食のみそ汁も開発されています。

時代は変わっても、みそは日本人の食生活になくてはならないスーパーフードなのです。

自然の生命力を宿した「五味五色」を味わう知恵

「五目御飯」「五目豆」「五色なます」など、和食には「五目」「五色」と冠した料理が数多くあります。

これは、日本に古来より伝わる「五味五色」の食材を食べるという養生法に由来します。

自然の食材の色は、その食材に含まれる成分の色でもあります。

たとえば、緑黄色野菜が鮮やかな緑やオレンジ色なのは、ビタミンやベータカロテンなどの抗酸化成分の色素によるものです。

また、鮭の身が鮮やかな紅色なのは、川を上る際に激しい運動と強力な紫外線によって生じる活性酸素から身を守るために、抗酸化作用のある赤いポリフェノールの一種アスタキサンチンを大量に含んだカニやエビを食べるからです。

さまざまな色彩のパワーを持った自然の食材を食べることで、五味五色のパワーを体内に摂り込むことができるのです。


おせち料理に使われる「五色なます」は、五味五色の代表的な料理です。

にんじんの「赤」、大根の「白」、きゅうりの「緑」、油揚げの「黄」、しいたけの「黒」を、しょう油や酢、みりんなどの発酵調味料でサッと和えたシンプルな惣菜ですが、色彩バランスも、味のバランスも、栄養バランスも優れており、まさに和食の粋を集めたような料理です。

日本のだし文化の要は「Ｕｍａｍｉ＝うまみ」

和食には、「甘い、辛い、酸っぱい、苦い」といった味に加えて、だしの「うまみ」を生かした味付けに大きな特長があります。

和食のだしに用いられる昆布やかつお節には、このうまみ成分がたっぷり含まれています。昆布に含まれるうまみ成分「グルタミン酸」は、１９０８年に日本人科学者が発見し、１９１３年にその弟子がかつお節に含まれるうまみ成分「イノシン酸」を発見しました。

２０００年にはアメリカで、「人間の舌には、甘味や苦みなどと同様に、うまみを感じる細胞がある」と科学的に証明され、第5の味覚として「Ｕｍａｍｉ」が世界中で注目されました。

それによって、アメリカでは昆布やしょう油などの和の食材を用いた「ウマミバーガー」というハンバーガーチェーンが誕生して人気を博し、日本にも逆上陸して話題を呼んでいます。

うまみを生かす和食は、カロリーや塩分の摂取量も抑えることができます。

たとえば中国料理やフランス料理、イタリア料理は、味を濃厚にするのに肉などの動物性タンパク質や脂肪分が多く用いられます。

しかし、和食の場合は味の奥行きを出すのに、昆布やかつお節といった「だし」のうまみを利用するので、カロリーを抑えられ、肥満や心臓病予防にもなるのです。

さらに、うまみ成分は、メンタル面にも作用します。

グルタミン酸とイノシン酸はとても相性がよく、これらのうまみを摂取すると、心地よさを覚えるのです。

また、かつお節にはトリプトファンという必須アミノ酸も含まれおり、メンタルの不調を緩和する〝幸せホルモン〟といわれる脳の神経伝達物質セロトニンの原料にもなっています。

世界で最も種類が豊富な「和包丁」

和食の伝統は、「和包丁」と切っても切れない関係があります。

和包丁とひと言でいっても、「出刃包丁」「刺身包丁」「菜切包丁」「鎌型包丁」「薄刃包丁」など、30種以上もあります。

洋包丁にも、「ペティナイフ」や「パン切ナイフ」「カービングナイフ」などありますが、トータルで20種ほどです。片刃の和包丁と違って、両刃のものがほとんどです。

中国料理の場合は、大きな「万能包丁」１本で、肉も野菜もほぼすべての食材を処理してしまいます。

和包丁が世界でも類を見ないほど種類豊富な理由は、個々の食材に合わせた切れ味の包丁があるからです。

食材によって包丁を使い分けるのは、和食が食材に対してそれだけ繊細だからです。

たとえば、「ウナギ包丁」「タコ包丁」「マグロ包丁」「ハモ包丁」「フグ包丁」など、魚介の種類によって専用の包丁があるのは、魚介の細胞を壊してうまみを逃がしたり、特有の食感を損なったり、冴えた切り口の見た目を損なったりしないようにするためです。

切り方にもいろいろありますが、第3章の「引きの美学」でも触れたように、和包丁の基本は押して切るより、引いて切ります。

ただ、和食のプロ料理人でない限り、日本の一般の家庭で使われているのは、野菜も魚介も肉も1本でさばける鎌形の「文化（三徳）包丁」が主流です。食文化が和洋折衷化した戦後に普及しました。

「すし」は江戸時代のファストフード

「すし」は、外国人に大人気の和食文化の1つです。

そのルーツは、アジア食文化圏の魚肉の保存食にあります。弥生時代にそれが日本に伝播し、やがて塩漬けの魚と米麹を長時間発酵させる「なれずし」が誕生しました。

滋賀県・琵琶湖名物の「鮒ずし」や、石川県・加賀名物「かぶらずし」などは、いずれもなれずしの一種です。

しかし、気が短いといわれる江戸っ子は、自然発酵するまで待ち切れず、酢をまぶした魚と米に重石をどんとのせて短時間に熟成させる「押しずし」を考案しました。

さらに、江戸後期になると、江戸湾で獲れた江戸前のいきのいい魚を酢飯にのせて握る、「握りずし」の屋台が人気を博しました。

握りずしは、「早ずし」ともいわれますが、いうならば江戸前のファストフードだったのです。ファストフードといっても、旬の魚介のうまみをぜいたくに味わえるすしは栄養価も優れています。

ちなみに、海苔や卵で酢飯や具材を巻いた「巻きずし」や、稲荷神の使いとされる狐の好物である油揚げに酢飯を詰めた「いなりずし」も、江戸時代に生まれました。

１９７０年代には、アメリカ西海岸で一大すしブームが起き、アボカドを大胆に巻いた「カリフォルニアロール」が作られ、日本にも逆上陸しました。

現在では、すしのグローバル化がさらに進み、世界各国のすし店で、日本の伝統的なすしとは一風異なる独創的なすしが見られます。

第6章

なぜ日本人は「術」より「道」を極めることを大切にするのか？——あくなき求道心

なぜ武道や芸道は術ではなく「道」なのか？

相撲道、柔道、剣道、弓道、合気道、空手道、華道、茶道、香道、書道――日本の伝統的な武道や芸道は、「術」ではなく「道」と呼ばれます。日本古来の宗教である「神道《しんとう》」も、「教」ではなく「道」です。これらの「道」はいずれも、日本人の精神を体現化したものといえます。

その道を極めることを「求道」といいますが、道とは単に技術や教えを習得するだけでなく、その武芸の真髄を精神的にも肉体的にも極めることを意味します。柔道や剣道などの武道は、もともとは敵を倒して身を守るための技能でしたが、自らを鍛えることで肉体も精神も高めることを追求する「道」になっていきました。日本武道協議会では、「武道は武士道の伝統に由来する日本で体系化された武技の修錬による心技一如の運動文化」とし、修錬によって肉体を鍛えるだけでなく、人格を磨き、道徳心を高め、礼節を尊重する態度を養う「人間形成の道である」と定義しています。

茶道や華道などの芸道も、もともとは生活を楽しむ実用手段でしたが、そこに作法や礼節が加わって「道」になっていったのです。

型を真似て、型を破り、型を離れる――武道や芸道の基本は「守破離」の精神

日本の伝統的な武道や芸道のベースには、「守破離《しゅはり》」の精神があります。

「守破離」とは、武道や芸道の修業プロセスにおける３つの段階を意味する言葉です。

「守破離」のもとになったのは、千利休の訓をまとめた『利休道歌』に書かれた「規矩作法　守り尽くして破るとも離るるとても本を忘るな」といわれています。

「守」は、自分の師匠の教えを忠実に守って身につける段階。

「破」は、自分の師匠の教えの殻を破り、別の師匠の教えのよい点をとり入れて技を磨く段階。

「離」は、1つの流派から離れて独立し、独自の流儀を確立させる段階です。

初心者はまず、完成度の高い人のスタイルを真似ることから始め、成長するにつれて他の人たちのスタイルも幅広く学びながらブレイクスルーしていき、最終的には独自のスタイルを作ってアップグレードしていく――これが、「守破離」の精神です。

「学ぶ」の語源は、「まねぶ」「まねる」です。

その道を極めるための第一歩は真似ることであるという「守破離」の考え方は、大陸から渡来した技術や文化を真似ながら、日本独特のスタイルに進化させてきた日本人の創造性を象徴しています。

最後まで気を抜かず余韻を残す――武道と芸道に息づく「残心」

日本の武道や芸道では、ものごとが終了した後も「気」を抜かずに余韻を残す「残心」が重視されます。

たとえば柔道では、投げ技を決めた後も体勢を崩さず、次の攻撃に対する準備ができていることを「残心」といいます。

弓道では、矢を射た後もそのままの姿勢をキープし、矢が当たった場所をじっとみすえていることを「残心」といいます。

剣道では、技が決まった後も相手の反撃を瞬時に返せるように身構える「残心」がなければ、有効とみなされません。

また、茶道では客が茶室から退出した後も急に茶道具を片付けたりせず、客が見えなくなるまで見送るような気遣いを「残心」といいます。

茶の湯を開いた千利休は、茶道具から手を離すときは恋人と別れるときのような余韻を大切にしなさいという歌を詠んでおり、客だけでなく、道具に対しても気遣いを見せなさいと説いています。

武道や芸道の「残心」には、最後まで気を抜かず、すべてに対して礼節を忘れない日本特有の精神性が息づいているのです。

ガッツポーズはご法度！——勝敗より勝ち方が問われる武道の精神

スポーツ競技で得点が入ったときや試合に勝利した瞬間に、歓喜を爆発させて握ったこぶしを掲げる「ガッツポーズ（英語ではfist pump）」を見せることがあります。

しかし、技が決まった後も「残心」を大切にし、礼節を重んじる武士道精神が根底にある日本の「武道」では、ガッツポーズはマナーに反しているとみなされます。

たとえば、柔道では敗者への気遣いとしてガッツポーズを慎む教育がなされています。

空手道でも、ガッツポーズが禁止されている流派があります。

剣道では、一本を取った後でガッツポーズをした場合、全日本剣道連盟の定める試合審判細則第24条において「必要以上の余勢や有効を誇示する不適切な行為」とみなされ、一本が取り消されることがあります。

大相撲では、千秋楽で優勝を決めた瞬間に朝青龍が土俵上でガッツポーズをしたことが横綱審議委員会で問題視され、日本相撲協会から厳重注意されたことがあります。

また、武道ではありませんが高校野球でも、日本高等学校野球連盟が球児に対して必要以上にガッツポーズをしないように指導しており、派手なガッツポーズをした球児に対しては、実際に球審に注意された事例があります。

日本では、スポーツ選手がガッツポーズすることについて賛否両論ありますが、勝負の世界でも勝ち負けよりもまず、相手への礼儀を大切にするのが武道の精神なのです。

神事や宮廷行事だった国技「相撲道」

相撲道は、日本の武道を代表する「国技」です。

もともとは力比べが起源といわれていますが、その歴史は神話の時代に始まったといわれており、古くは神に豊作を祈って奉納する神事でもありました。

現代でも、各地の由緒ある神社では、祭事の際に「奉納相撲」が行われています。

平安時代には相撲が宮中行事になり、天皇や貴族が相撲見物を楽しむ相撲の「節会《せちえ》」が催されていました。

鎌倉時代になると、武士の鍛錬のひとつとして相撲が奨励されるようになり、戦国時代には、武将たちはお抱え力士を擁するようになりました。

行司が登場したのもこの時代で、相撲好きだった織田信長は各地から1500人もの力士を集めた上覧相撲を行い、勝ち抜いた者を家臣に召し抱えたといわれています。

さらに江戸時代には、「勧進相撲《かんじんずもう》」が江戸や京都、大阪などで定期的に興行されるようになりました。

江戸中期には、「谷風」「小野川」「雷電」の強豪力士が登場し、相撲の黄金時代を築きます。当時の浮世絵にも、まげや化粧まわしなど、今と変わらない力士の姿が描かれています。

明治時代に西洋文化が流入すると、裸同然で行われる相撲が野蛮であるとみなされて相撲人気が一時衰退しましたが、明治天皇が見物する「天覧相撲」が行われ、明治末期に国技館が建設されたのを機に、相撲が日本の「国技」となりました。

現在は日本大相撲協会が主催する「大相撲」というプロスポーツとしてNHKで放送されて、人気を博しています。

国技館の土俵の上には、日本の神社建築様式である「神明造り」の吊屋根が見られますが、これはかつて相撲が神事だったことに由来します。

力士が入場する際に柏手を打ったり、土俵に塩をまくのも、土俵が神聖な場所であるからです。

術ではなく道を極める「柔道」

柔道は日本発祥の格闘技ですが、第二次世界大戦後は世界中に柔道愛好者が増え、男子は１９６４年の東京五輪から、女子は１９９２年のバルセロナ五輪からオリンピックの正式種目になっています。

創始者は、日本の古武道を代表する「柔術」の諸派を研究していた嘉納治五郎氏です。嘉納氏は「術（技芸）ではなく、道（道理）である」と説き、１８８２年に柔道の総本山である「講道館」を設立し、「柔道」と名付けた独自の技術体系や指導法を確立しました。

柔道は、体重別に7つの階級が設定されており、68本の「投げ技」と32本の「固め技」を駆使して攻撃と防御を行います。

技が決まることを「一本とる」といい、「一本」とれば勝ちとなります。

「技あり」とはもう少しで技が決まりそうな状態のことで、二回「技あり」があると「一本」とみなされます。

「有効」は技が決まりそうな状態ですが、「技あり」より格下で、何度「有効」をとっても「技あり」や「一本」にはカウントされません。


道具を使わずに一対一で行う柔道は、攻撃や防御の技を磨くだけでなく、精神を鍛え、人間形成に役立てることを目的としています。

柔道は中学校や高校の体育の授業に取り入れられている他、警察官の育成過程の必須科目にも採用されています。

礼に始まり、礼に終わる「剣道」

剣道のルーツは、日本の侍の手本となった古武道の「剣術」です。

江戸時代に「面」や「小手」などの防具が開発され、「竹刀」に改良が加えられることによって、「竹刀打ち込み稽古」が確立したことが剣術の起源といわれています。

江戸時代後期には、流派を超えて試合が行われるようになり、明治時代以降に大日本武徳会によって試合規則が定められました。複数の流派によって成立したため、特定の創始者はいません。

「剣道」の名が初めて使われたのは、大正時代に作られた「学校体操教授要目」でした。第二次世界大戦直後は進駐軍によって剣道が規制されましたが、進駐軍の占領が解かれた後に「全日本剣道連盟」が発足し、再び復興しました。

現在では剣道が中学校の体育に取り入れられ、警察や実業団にも普及しています。海外でも、韓国やアメリカ、ブラジルをはじめヨーロッパなど60カ国以上の人が剣道を愛好しており、国際大会も開催されています。

剣道のグローバルな人気の背景には、自己鍛錬や礼節を重視する日本特有の美意識があるといえます。

剣道も相撲道も、技が決まると一瞬で勝敗が決まるという特徴があります。

剣道は竹刀と防具を用いて一対一で打突し合う運動競技スポーツですが、肉体も精神も鍛錬し、人間形成を目指すことを目的にしています。

「剣道は礼に始まり、礼に終わる」といわれるように、常に対戦相手を尊重して礼節を尊ぶことが重んじられています。

まず道場に入る際は、稽古や試合ができることに感謝して「立礼」します。稽古を始める前には正座して背筋を伸ばしたまま両ひじを床につけ、先生や試合相手に「座礼」をします。

試合前にも互いに相手の目を見て礼をし、終わった後も必ず礼をします。

試合中に審判に反則を注意された際も、審判に礼をします。

剣道の凜と美しい所作にも、感謝や気遣いを大切にする日本特有の精神が宿っているのです。

武士の生き方を体現した「弓道」

弓道は、古武道の弓術をもとにした日本の武道です。

弓矢は、鎌倉時代に武士の主要な武器として使われ、当時の武士の生き方は「弓矢の道」「弓馬の道」といわれました。

疾走する馬に乗りながら弓を射る「やぶさめ（流鏑馬）」などは武術としてだけでなく、平安時代より伝統的な神事として現代に受け継がれています。

源頼朝の師範を務めた小笠原長清《おがさわらながきよ》が「小笠原流」を創設し、小笠原家が代々の武将に仕えながら弓道の礎を築きました。

小笠原流が非常に礼を重んじていることから、礼儀作法の代名詞にもなっています。

第二次世界大戦後に「日本弓道連盟」が結成され、スポーツ性を考慮した射法が主流となっていますが、流派によって技法は異なります。

弓道は英語で「Japanese Archery」といいますが、アーチェリーとは別ものです。

弓道は日本式の和弓を引く武道であるのに対し、アーチェリーは西洋式の洋弓を引く競技スポーツです。

また、和弓は上が長く下が短い非対称ですが、洋弓は上下対称という違いがあります。ルールも弓道は的に当たるか否かを「あたり」「はずれ」で判定で競うのに対し、アーチェリーは的の中心に近い場所に当てた合計得点で競います。

ただし、弓道でも国体の遠的競技（射距離が60、70、90ｍ）や実業団の近的競技（射距離が28ｍ）では得点制になっています。

また、全日本男子弓道選手権大会と同女子弓道選手権大会では、的に当てるだけでなく、弓を射る形や態度などを総合して審査する採点制です。

「空手道」はカンフーとはまったくの別もの

空手道は、琉球王国時代の沖縄で生まれた武道です。

その起源は諸説ありますが、沖縄の拳法「手（琉球方言でティー）」をベースに、中国の武術「唐手《とうで》」や日本の武術の影響を受けて独自に発展してきた格闘技です。「空手」の名が広まったのは、1929年に慶應義塾大学唐手研究会が般若心経の「空」を使った「空手」を表記に用いたのがきっかけといわれています。

1939年には「全日本空手道連盟空手」が結成されて、日本はもちろん海外にも「KARATE」が普及。現在では世界200カ国に約1億3000人以上の空手愛好者がいるといわれています。

2021年に開催された東京オリンピックでは空手が新たに正式種目に採用され、空手人気に拍車がかかっています。競技は「形《かた》」と「組手《くみて》」の2種類あり、組手は軽量・中量・重量の3階級で競います。

ちなみに、空手と「カンフー」が混同されることがありますが、カンフーは中国武術の別名で、日本発祥の空手とはまったくの別ものです。

『燃えよドラゴン』（1973年）をはじめとするブルース・リー主演のカンフー映画が世界中で大ヒットしたことや、映画の広告や字幕でカンフーが空手と誤訳されたことによって混同されるようになったといわれています。

本来のスタイルをアレンジする「真・行・草」

日本古来の芸道には「真《しん》・行《ぎょう》・草《そう》」の概念が宿っています。

「真・行・草」はもともとは漢字の書体を示す用語で、漢字本来の形である楷書を「真書」、真書を少し崩した書体を「行書」、行書をさらに崩した書体を「草書」といいます。

そこから転じて、「真」は正しい規則に従ったもの、それがやや砕けたものを「行」、さらに省略化されたものを「草」といい、中世以降に華道や茶道などにも、「真・行・草」の概念が用いられるようになりました。

たとえば華道では、仏前に供える花や公式なおもてなしの饗宴に立てる花は「真」、花会などで立てる花は「行」、気ままに立てる花を「草」といいます。

また茶道では、両手をたたみにつける最も丁寧なお辞儀を「真」、真よりもやや角度の高いお辞儀を「行」、簡単な会釈を「草」といいます。

千利休は本質である「真」を知って「行」「草」に至れば、いかにアレンジしても本質は変わらないと説いています。

草花に命を見出す「華道」

華道は草花や木の枝などを命あるものとして対峙し、人の心を草木に託して季節感や美しさを表現する日本発祥の芸道です。

華道は「いけばな」とも呼ばれますが、その起源は諸説あり、神さまの依《よ》り代《しろ》として植物を飾った古代のアニミズム（精霊信仰）が由来であるという説もあります。

仏教の伝来により仏前に季節の草花を供える供花の習慣が広まり、平安時代には貴族がルールにとらわれることなく季節の花を飾って楽しんでいました。

室町時代に、「床の間」のある「書院造《しょいんづく》り」の建築様式が主流になると、床の間に花が飾られるようになり、華道のスタイルが作られていきました。

いけばなの理論を確立したのは、室町時代の花の名手であった池坊専応《いけのぼうせんおう》です。

専応が、日本最古の流派である「池坊《いけのぼう》」を創始し、その花伝書が師から弟子へ伝承される中で「小原流」、昭和初期に勅使河原蒼風が創設した「草月流」など、三大流派を中心にさまざまな流派が作られていきました。

草花の生け方にも、さまざまなスタイルがあります。

「立花《りっか》」は書院造りの床の間に生けるために作られた様式で、縦長の花器に種々の草花を調和させる技法です。公的な行事では、立花で生けられます。

「生花《しょうか》」は茶室の小さな床の間に飾られる生け花で、立花を簡略化した生け方です。

「盛《も》り花《ばな》」は、平たい花器と剣山《けんざん》を用いて生ける技法です。

明治時代に近代いけばなの道を開いた、小原流の創始者である小原雲心《おはらうんしん》が考案した生け方です。

「自由花」は伝統的な形式にとらわれず、草花以外のオブジェを用いるなど自由な発想で表現するコンテンポラリーないけばなのスタイルです。

ただし、華道はあくまでも植物を命あるものとして向き合い、季節感を愛でる芸道なので、生花の代わりに造花を使うことはありません。


いずれの生け方も、左右非対称の「アシンメトリー」が基本になっています。

西欧では、左右対称で均衡のとれた「シンメトリー」が美の規範とされますが、日本では左右のバランスの異なるアシンメトリーが美の規範なのです。

日本の盆栽や建築や庭園の造形も、すべてアシンメトリーです。

これは、あえて左右の均衡を破ることで、美を引き出す「引き算の美学」に通じるといえます。

西欧や中国では「偶数」が好まれるようですが、「白か黒か」「イエスかノーか」という二極対立を生みやすいので、日本では三極で安定を図ることを好む傾向があるのです。

香りを嗅ぐのではなく聞く「香道」

香りを愛でる「香道」のもとになったのは、仏教と共に唐から伝来したお香でした。お香は仏事に用いられるものでしたが、平安時代になると貴族たちがお香を自分好みに調合してカスタマイズし始めました。

それを現代のアロマセラピーのように室内で焚いたり、着物に焚き染《し》めて香りを楽しむ「薫物《たきもの》」に利用するようになり、お香は殿上人たちの優雅なライフスタイルアイテムになっていきました。

やがて、貴族の間で香りの種類を当てる遊びが生まれ、室町時代には茶道や華道のような芸道の1つとして、日本独自の「香道」に発展していきました。

香道は、「六国五味《りっこくごみ》」という分類法に基づいています。

「六国」とは、香道に使われる香木の原産国のことです。

香木は原産国によって「伽羅《きゃら》」「羅国《らこく》」「真那伽《まなか》」「真南蛮《まなばん》」「佐曾羅《さそら》」「寸聞多羅《すもたら》」の6種類に分類されています。

「五味」とは「辛・甘・酸・苦・鹹《かん》」の5種類を指します。

香りも味覚と同じように、「辛い」「甘い」酸っぱい」「苦い」「しおからい」という分け方になっているのです。


香道では香りを嗅ぎ分けることを「香りを聞く」と表現し、香炉に焚いた香木の香りを鑑賞することを「聞香《もんこう》」といいます。

理由は、天然香木にも魂が宿っていると考えられていたからです。

魂ある香木の匂いをくんくんと嗅ぐのはいかにも無粋なので、香木に敬意を表して「聞く」と表現するのです。

こうしたさりげない表現にも、万物に魂が宿っていると考える日本人ならではの気遣いが見られます。

客人への「おもてなし」の心が息づく「茶道」

日本の茶道は室町時代に村田珠光によって始められ、大阪堺の商人たちによって広められました。

もともとは、中国から伝わったものがベースになっているといわれていますが、中国にはお茶を教養・芸道として磨く文化はありません。

茶の湯を「わび・さび」という感性でとらえ、専用の茶室をしつらえて亭主がお茶をたて、客人とともにたしなむ茶道文化のベースにあるのは、日本人のこまやかな「おもてなし」の精神です。

戦国時代に千利休が「わび茶」としてその形を完成させ、洗練された文化教養として武士たちの間で大いにもてはやされました。

狭い茶室でひざを突き合わせ、一杯のお茶を回し飲みする茶の湯の席は、戦国武将たちの間で政治交渉や情報交換の場になったり、戦勝祈願や祝賀の場となり、茶道をたしなむことは、武家の教養ともなったのです。

コラム　戦国時代は茶碗が一国一城に匹敵

茶の湯をことのほか愛好したのが、戦国武将の織田信長でした。

信長はことあるごとに茶会を開き、自らの権威を示す儀礼として茶の湯を活用しました。

信長は茶道具の愛好家としても知られ、数々の茶器を買い入れることで堺の商人たちと関係を深め、経済基盤を固め戦闘物資を調達したのです。

信長は、戦で打ち負かした敵からも名品の茶碗を分取り、周囲の武将も名品を献上することで信長の機嫌をとるなど、政治的な道具として茶碗が使われました。

また、信長は戦功を立てた配下の武将に一国を与えるのと同じように、褒章として貴重な茶器を与えました。

家臣の柴田勝家や羽柴秀吉は、信長から名品を譲り受けることで堺の商人とつながりをつくり、地方の敵と戦うための経済力を高めました。

名品をもつことは武将たちとって大きなステータスであると同時に、己の経済的基盤を固める手段でもあったのです。

茶の湯の流行に伴って、安土・桃山時代には日本独特の焼き物が各地に誕生します。

京都では楽焼が、瀬戸（愛知県）や美濃（岐阜県）では志野や織部などの味わい深い釉《ゆう》薬《やく》を施した茶碗が作られるようになりました。

江戸時代になると、有田（佐賀県）で日本初の磁器が生まれ、精巧で鮮やかな色絵磁器がヨーロッパで大人気になり、大量に輸出されるようになりました。

有田で生まれた有田焼は伊万里焼とも呼ばれ、京都や九谷（石川県）、砥部《とべ》（愛媛県）などでもそれぞれ独特の磁器が製造されるようになりました。

ちなみに、日本の焼き物の歴史は世界的にも非常に古く、青森県の大平山元《おおだいやまもと》遺跡では約1万6500年前の縄文土器のかけら（日本最古）が発掘されています。

第7章

なぜ日本は驚異的な復興を遂げられたのか？

——弱点も強みに変える工夫力

終戦の焼け野原から奇跡の復興

日本は１９４５年に第二次世界大戦で敗れ、東京・大阪をはじめとする多くの都市は、アメリカ軍の空襲で大きな被害を受けました。

特に広島・長崎には世界で初めて原子爆弾が落とされ、壊滅的な被害を受けました。

それなのに、なぜ日本は短期間で驚異的な復興を果たし、経済の高度成長を遂げ、ＧＮＰ世界第２位の大国にまでなれたのでしょうか――？

空襲で焼かれて家もない、食べものもない、仕事もない、着るものもない、電気やガスなどのエネルギーもない……そんなないない尽くしの生活から、日本の復興は始まりました。

しかし、日本人は希望を捨てませんでした。大変でみんな貧乏でしたが、戦後の日本には助け合おうという空気が流れていました。

第１章で述べた通り、日本人には協調性を尊重する「和」の精神や、互いにねぎらう「お陰さま」の精神がベースにあるので、青空を見上げてたくましく復興を目指し生き始めたのです。

当時、「犯罪の陰に食い物の恨みあり」といわれ、誰もが食うや食わずのひもじさの中で、せっぱつまった犯罪も少なからず起こりました。

しかし、大多数の飢えた人々は、強欲に奪い合うことなく、助け合い支え合いながら必死に生をつないだのです。

「ものがないのはお互いさまだから、みんなで助け合おう」

「ものがないなら代わりを見つけよう。工夫して作り出そう」

——それが街中が焼け野原となった戦後の日本人を支えた精神でした。

第1章でもお話しした通り、この精神が「阪神淡路大震災」や「東日本大震災」の際にも見られました。

焼け跡に生まれたヤミ市は、とにかくあるものを交換して生活の不足を補おうと自然発生的に生まれたものです。新宿や池袋なども、戦後のヤミ市をベースとして栄えた街です。

ガソリンの代わりに木炭で走るバスや、自転車で人やものを運ぶ「輪タク」、手製の電気パン焼き機やうどん突き機、闇酒のカストリなど、もののない中で日本人は創意工夫を重ねて懸命にその日を生きたのです。

自転車に簡易な小型エンジンを取り付けた〝自転車オートバイ〟が出始めたのも、戦後の混乱期のことです。

丈夫で力持ち、燃料食わずで大人気を博したホンダ技研製「カブ号」は、やがて世界中で愛用されホンダを国際的なメーカーにのし上げ、日本経済を再生させる原動力となりました。

１９５３年には日本人１人あたりの消費高が戦前の水準を突破して、驚異的な高度経済成長期に突入し、１９５５年～１９７３年の日本の実質経済成長率は欧米の２倍以上の年平均10％を超える勢いでした。

さらに１９８０年代には、未曾有のバブル景気に日本中が沸きました。

１９９０年代にはバブル崩壊とともに日本経済は大打撃を受け、長い間「失われた10年」と呼ばれて今なおその後遺症から完全に立ち直っていませんが、ＧＤＰ（国内総生産）はアメリカ、中国に次ぐ世界第３位の地位を保ち続けています。

度重なる自然災害に耐えた粘り強さ

この逆境に強い日本人の辛抱強さや粘り強さは、地震や台風、大雨や火山噴火など古くから多くの過酷な自然災害に見舞われてきた日本の歴史と無関係ではありません。

１９２３年に東京を含む関東地方を揺るがした「関東大震災」は、マグニチュード8、震度６に達する巨大地震で、10万人以上の死傷者を出す大災害となりました。

世界有数の大都市であった首都東京は、地震後に発生した火災で壊滅的な被害を受けて瓦礫と化したのです。

しかし、この震災を逆手にとって、スケールの大きな首都復興計画を推進したのが当時の内務大臣、後藤新平でした。

後藤は震災の大火災で市街地の43%を焼失した東京に大胆な区画整理を施し、新しい幹線道路網をめぐらせ、江戸時代からの古い街を一気に近代化したのです。

東京の主要道路の大半はこのときにつくられたもので、現在でも欠かせぬ幹線道となっています。

もし関東大震災が起こらなかったら、東京の近代化はずっと遅れていたかもしれません。

それから約90年後の東日本大震災のときも、「がんばろう日本」が合言葉となり、被災した人々もそうでない人々も互いに協力し合い、共助の精神で復興のために力を合わせました。

第1章で述べたように、犯罪やパニックがほとんど起こらなかったのも日本人が古来より大切にしてきた協調性を尊ぶ「和の心」や、互いを思いやる「おかげさま精神」のたまものといえます。

終戦後に力を合わせて驚異の復興を遂げたときと同じように、みんなで努力すればこの国は必ず立ち直るという思いがあったのです。

狭い国土と自然災害リスクを糧に築いた世界一の土木・建築技術

日本は国土が狭く、地震などの自然災害リスクが非常に高い国です。

しかし、その分、日本の土木や建築には古来よりさまざまな防災・減災の技術が生かされてきました。

奈良時代の高僧・空海は、日本各地で治水や土木建築の指導も行いました。

戦国時代の武将・武田信玄は、領内の砂防や治水に力を入れ、「信玄堤」と呼ばれる大規模な堤防を築造しました。

日本の治世の歴史は、防災・減災をいかに行うかという歴史でもあったのです。

そうした災害に対する安全思想は、現在の建築土木の基礎になっています。

狭い国土をどう有効活用するかという知恵と工夫は、世界でも類を見ない都市の緻密な地下鉄網に顕著に現れています。

かつて東京中の日常の交通網は、都電と呼ばれる路面電車でしたが、自動車交通量が激増した１９６０年代以降は、地下鉄がそれに代わりました。

東京の地下鉄路線の中で戦前からあるのは銀座線のみで、戦後になって多くの路線が建設されました。

いずれも限られた土地で、地盤の硬軟や高低差、多くの河川や既存路線、埋設された上下水道といった地下インフラとの関係、とき化石の発掘など、多くの難関を乗り越えて開通に至っています。

たとえば半蔵門線は、丸ノ内線のわずか数ｍ下で交差している一方、大江戸線の六本木駅は地下42ｍ強と世界に類を見ない深さです。こうした網の目を縫うような路線設計や、地質に合わせた臨機応変な開削工法の採用、上を走る幹線道路交通への影響に配慮した工事方法など、東京の地下鉄建設には多くの知恵が注ぎ込まれてきました。

原宿にある地下鉄千代田線の明治神宮前駅の真下では、１９７０年代の地下鉄工事中に約10万年前のナウマンゾウの化石が発見されるというハプニングがありましたが、ほぼ一頭分の化石を発掘して地下鉄工事を完遂しています。

首都直下を日夜駆けめぐる13もの地下鉄路線は、地震に強い構造であることはもちろん、震災時の警報・速報、誘導システム、雨水の侵入を防ぐシステムなど、目に見えないところにも日本人の「気遣い」の精神に基づく安全対策が微に入り細に入り講じられています。

地震に耐える高層ビル群の免振技術は古代からの知恵

日本の大都市に顕著な高層ビルにも、狭い国土を有効活用する知恵が詰まっていますが、高層ビルで課題となるのが地震や強風に対する安全対策です。

大阪市阿倍野区にそびえる地上３００ｍの日本一高いビル「あべのハルカス」には、最新鋭の耐震や強風対策技術が使われています。

高層階には倒立型と吊り型の２種類の巨大な振り子が設置されており、建物が揺れたときに逆の方向に振動を起こして揺れを相殺する役割を果たしています。

さらに、中層階以下には振動エネルギーを吸収する特殊な壁やオイルダンパーが多数組み込まれています。

免震・制震＝振り子の力で揺れをうまく逃がして軽減する「柔」と、耐震＝建物自体を頑丈にして揺れを受け止める「剛」を効果的に組み合わせたこの画期的な構造は、現在では多くの高層ビルに採用されています。

実は、こうした日本の高度な免震のルーツは、世界最古の木造建築物（７世紀に創建）としてユネスコ世界遺産に選出されている、奈良県「法隆寺」の五重塔にあります。

五重塔や三重塔といった多重塔は、古代から日本の伝統的建築として今でも各地に残されていますが、その多くには１本の太い柱が天辺の相輪から地面までを貫く「心柱」

が立てられています。

心柱が立つ塔の中心は吹き抜けになっており、その外側に階層を重ねていくことで心柱が軸となって塔全体を安定させ、揺れを逃がしたり相殺したりするのです。

江戸後期に建立された栃木県「日光東照宮」の五重塔には、あべのハルカスをはじめとする現代の高層ビルに通じる吊り下げタイプの心柱が採用されています。

有史以来、幾度も大きな地震に見舞われている日本ですが、日本各地の五重塔が崩壊した例は一度もありません。

自然の脅威である地震から建物を果敢に守ろうとする日本人の知恵は、時代を超えて現代に受け継がれているのです。

震災でも無傷だった「東京スカイツリー」の凄い技術

この心柱は、世界一高いタワーとしてギネス認定されている地上634mの「東京スカイツリー」にも生かされています。

東京スカイツリーは、ツリーの中心部を可動性の心柱が貫く「心柱制震」で揺れの約50％を軽減する構造になっています。

さらに、基礎部分に円柱の基礎杭を打ち込むだけでなく、杭と杭とをウォールでつなぐことで、台風や地震による横からの衝撃も防いでいます。


東日本大震災が起こった2011年3月11日当日、東京スカイツリーでは約620m付近で最上部のアンテナを取り付ける作業の真っ最中でした。

転倒防止用ジャッキの一部を取り外していたため、揺れに対して余裕のない状況で、現場にいた大勢の作業員は激しい揺れに襲われたといいます。

しかし、けが人はひとりもなく、建設中のツリーも無事でした。

大地震によって東京スカイツリーに採用された幾重もの安全対策が証明された形になったのです。

環境に配慮したスマートなビル解体工法

日本の大都市の高層ビル建設は、周囲にビルが密集し、十分な建築用スペースがとれないことが多いため、高層ビルの上階に大きなタワークレーンが乗ってビルを段々と組み上げていく工法がしばしばとられています。

ビルを解体するときも、周囲に影響を及ぼすことなくビルを安全に取り壊すために、大型クレーンで解体用の重機を最上階へ引き上げ、上から下へと徐々に解体していく工法がとられています。

建物の最上階に移動式の閉鎖型解体設備をまるごと取り付け、その中で解体作業を行う工法は、日本で開発されました。

解体作業はすべて閉鎖した設備内で行われ、内部の天井クレーンを使って解体した建材を下ろすため、粉塵や騒音を最小限に抑えられます。

こうした技術にも、日本人らしい「気遣い」が反映されているのです。

地上から65m以上の超ロングアームの解体機を駆使してビルを徐々に壊していく工法もあり、この方法で21階建てビルを解体した実績はギネスの記録にもなっています。

また、1階の柱を切断して、大型ジャッキで支えながらその階を解体し、下からだるま落としのように取り壊していく工法もあり、日本の大手ゼネコン各社は新しい解体工法を独自開発しています。

こうした各種の解体工法は、作業の効率化やコスト削減という合理的な目的のためだけでなく、作業員や周囲の安全性、環境への配慮から生まれた技術です。

解体工事中に万が一のことがあっても、周囲に影響が出ない解体方法や、強風をうまくかわす仕様の防塵・防音シートなど、いずれも日本人らしい「気遣い」のたまものといえるでしょう。

湿気の多い土壌から生まれたノーベル賞級の大発見

２０１５年、北里大学名誉教授の大村智氏は、微生物の研究によりノーベル生理学・医学賞を受賞しました。

大村博士は土中に棲む微生物から化学物質を化合し、薬品会社と共同で「イベルメクチン」という抗寄生虫薬を開発しました。

イベルメクチンは、寄生虫が原因で失明したり、命を落とす人もいたアフリカの風土病に対する有効な新薬として、多くの人命を救いました。

大村博士は、30年以上にわたって土中にいる微生物を採取研究して５００種もの化学物質を発見し、そこから26種もの新薬を世に送り出しています。

イベルメクチンも、静岡県伊東市のゴルフ場の土から発見された微生物が元になっています。

博士が土にこだわるのは、大学の研修室には大手製薬会社の10分のＩほどの研究予算しかなく、土であれば原材料費がかからなかったことと、湿気の多い日本の土にはカビなどの微生物が繁殖しやすいため、それを有効活用しようという発想が原点になっています。

「科学者は人のために仕事をしなければいけない」、これは大村博士の座右の銘です。

限られた予算内で、何万種もの土中の微生物を研究し続ける粘り強さ。

とことん打ち込む熱心な職人気質。

失敗にくじけない忍耐力と柔軟な発想力。

そして、「誰かの役に立ちたい」という深い思いやり。

――こうしたスピリットは、日本の多くの技術者に共通するものです。

日本のものづくりを支えてきた人々を追ったNHKの人気ドキュメンタリー番組『プロジェクトX』や『プロフェッショナル』が、多くの日本人の心をつかんだのも、そうしたスピリットが日本に息づいているからにほかなりません。

日本のものづくりの神髄——ものに魂を込める日本刀

日本人はものづくりに際しても、細かなところまで気を配ります。
世界最先端のハイテク技術が駆使された新幹線や宇宙ロケットが、下町の小さな町工場のベテラン職人の手技から生み出される微小な部品に支えられているのも象徴的です。

中でも「日本刀」は、日本のものづくりの神髄であり、究極のクールジャパンといえます。

原材料となる玉鋼《たまはがね》を熱して幾度も鍛えて強度を上げる鍛錬を繰り返し、刀工たちは全身全霊をかけて刀作りに打ち込みます。

日本刀が優れた武器であると同時に美しい芸術品となりえたのも、そこに刀工たちが吹き込んだ「魂」が込められているからにほかなりません。

日本刀の美的価値は、鍛えられた地鉄《じがね》そのものの味わいと、刀身に表れる刃文《はもん》、刀全体の形の美しさにあります。

海外の刀剣は豪華な宝石の装飾や彫刻を施すことによって芸術的価値を追求しますが、日本刀は刀身そのものの芸術性を追求します。

日本刀の目利きは、刀身に「魂」の結晶を見出すのです。

近年、海外でも絶大な人気を誇る日本発のゲーム＆アニメ『刀剣乱舞』も、名刀が武士のキャラクターに擬人化されていますが、これも「日本刀に魂が宿る」という考え方がベースになっています。


かつて、日本刀は「武士の魂」といわれており、武器としての価値が求められました。戦国時代には、斬首された罪人の亡骸を重ね、何人斬れたかによって斬れ味を確かめ、武器としての付加価値を高めたといわれています。

ちなみに、時代劇では片手で日本刀を振り回すシーンがよく見られますが、実際の日本刀は1～3kgのずっしりした重みがあるため、軽々とは振り回せません。

武士の時代は、平安時代から千年以上にわたって続きましたが、明治時代に刀の所有を禁ずる「廃刀令」が公布されると、刀を差した侍の姿が消え、武器としての実用性を追求した刀の需要もなくなりました。

現代の日本でも、「銃刀法（銃砲刀剣類所持等取締法）」によって許可なく日本刀を所持することが禁じられています。

しかし、日本刀の作り手が途絶えてしまったわけではありません。

その数は３５０人ほどと限られており、新作名刀展で特賞を８回以上受賞するという条件をクリアした「無鑑査」の資格を持つ刀匠は20名に満たないものの、今も日本には伝統を受け継ぐ刀工たちが、美術工芸品としての価値を追求した日本刀づくりに励んでいます。

日本の精神性と西洋の知恵を融合した「和魂洋才」

「青いキリンというものを見せてくれたら、王様が賞金を出してくれる」

という欧米の有名なブラックジョークをご存じですか？

それによると、ドイツ人は、図書館に駆け込んで青いキリンについての文献を調べる。

イギリス人は、「青いキリンとは一体何か？」という議論を重ねる。

アメリカ人は、青いキリンを捕えるために軍隊を方々に送り込む。

中国人は青いペンキを買いに行った。

そして日本人は、キリンの品種改良を重ねて、青いキリンを作り出す。

――このウィットに富んだジョークからも、工夫やアレンジが得意な日本人の国民性がよくわかります。


日本人は何もないゼロから1を生み出すより、今ある1をさらに価値ある新しい「1＋α《プラスアルファ》」にすることが得意であるとよくいわれます。

古来より、日本は中国や朝鮮半島の文化や政治、法制度などをとり入れ、それを日本流にアレンジして新しいものに換骨奪胎してきました。

明治以降は西洋の文化や文明が急激に流れ込み、それをとりこんだ富国強兵を目指すことが国是とされてきました。

日本人がもともと備えている精神性を大切にしつつ、西洋の優れた学問や知識やシステムを取り入れ、双方を調和させて新たな価値を生み出す「和魂洋才」こそ理想とされたのです。

この精神は、令和の時代にも受け継がれています。

中国由来の漢字から「ひらがな」「カタカナ」を独自開発

万葉の時代から、日本人は外国から伝わってきたものごとを柔軟に取り入れ、使いやすくアレンジしたり、洗練させていくことで、独自の文化をつくり上げてきました。

日本語の礎《いしずえ》である「かな文字」も、もともとは中国から入ってきた漢字を独自に開発したものです。

かな文字の元になったのは、漢字を日本語の発音に当てはめた「万葉仮名」です。万葉仮名は一音一音に同音の漢字を当てており、読み書きが困難でした。

そこで、漢字を崩した「ひらがな」と「カタカナ」が開発され、日本語独自の表現や表記がつくられていったのです。

ひらがなは、漢字を毛筆で崩して書く行書が元になっています。

カタカナは、漢字の偏などが元になっています。

こうした日本独自のかな文字が普及したことによって、平安貴族の教養が中国由来の漢詩から、流麗な和歌へと広がっていき、和歌を集めた『古今和歌集』や『万葉集』が誕生するきっかけになりました。

また、かな文字によって、その日のできごとを簡単に書き留めておける日記が広がり、『土佐日記』（紀貫之）や『蜻蛉日記』（藤原道綱の母）などの日記文学が生まれました。

世界的に知られる長編小説『源氏物語』（紫式部）や、随筆『枕草子』（清少納言）も、かな文字が浸透したことによって生まれた傑作文学です。

中国由来の金魚を日本独自に品種改良

日本の金魚の美しさ、バラエティの豊富さは世界でも人気がありますが、そのルーツも中国にあります。

金魚は、揚子江のフナが突然変異で赤くなったものだといわれています。

いわゆる「和金」と呼ばれる金魚も中国が原産です。「和」は和風のことではなく、足し合わせたものを意味します。

中国由来の和金が日本に伝わり、日本独自の技術でさらに多くの品種が生み出されていきました。

「地金」「東錦」「江戸錦」など日本で独自に品種改良されたと公認されている金魚の

品種は31種のみで、他に流通している100種以上は中国産の品種です。

日本品種の金魚は、種類は限られますが、色や模様、尾びれ・背びれの形などが圧倒的に多種多様であるため、金魚の本家・中国のバイヤーからも高く評価されています。

日本品種の金魚は、異なる品種を掛け合わせ、何世代にもわたって個体を選別して交配を根気強く繰り返すことによって生み出されています。

さらに、それらの品種を絶やさず繁殖するのにも高度な技と経験値が必要です。

江戸時代に確立したこの伝統技は、「匠の技」ともいわれており、現在までずっと継承されています。

世界的な人気を得ている日本品種の金魚は、まさに日本人の粘り強さや緻密さ、創意工夫の結晶といえます。

世界有数の農産物の改良技術

その土地ならではの食材は世界中にありますが、日本では高度な品種改良技術や栽培・量産化技術によって、多種多様な農産物が全国各地で作られています。

一見ありふれた野菜やくだもの、穀物などに、それぞれの土地環境や気候風土に根ざした人々の知恵や努力、伝統が凝縮されているのです。

たとえば、「あまおう」に代表される栃木県のいちごは、世界にも出荷されており、国内外で高い人気があります。

「あまおう」ブランドが生み出されるまで、甘味、酸味、大きさ、色、固さ、病気への強さなど、さまざまな特質をもったいちごの花粉を集めて交配させ、1万種以上の苗が育てられました。その中から研究員が試食を重ね、新しいブランド品種が選定され普及していくのです。

米は世界中で作られていますが、日本人にとって米は主食であり、「ソウルフード」なので、各地でさまざまな品種改良が重ねられており、米の品種もじつに多種多様です。新潟県産や福井県産の「コシヒカリ」をはじめ、宮城県産の「ササニシキ」、岩手県産や大分県産の「ひとめぼれ」、秋田県産や愛媛県産「あきたこまち」など、その土地の気候風土に合った個性的なブランド米が生み出されてきました。

稲作の北限といわれる北海道でも、「ななつぼし」「ゆめぴりか」といった新しいブランド米が栽培され、人気を博しています。

世界の米の生産量を見ると、日本で主流の丸みのある「ジャポニカ米」はわずか15%ほどで、大半は細長い「インディカ米」です。好みは人によって異なりますが、前者はふっくらもっちり、後者は芯のあるパサパサした食感が特徴です。

米が主食の日本人には、炊いた米のツヤ、粘り気、甘味などを吟味する米グルメが少なくありません。そのため、特に味のよい銘柄は「特A評価」として日本穀物検定協会によって毎年選定されています。

第5章で触れましたが、ユネスコ世界無形文化遺産に登録されている和食ですが、海外で根強い人気の「ＳＵＳＨＩ」や、近年世界に広がりつつある「ＯＭＵＳＵＢＩ」も、主食の米なくして成立しません。

古来より日本は、水に恵まれ稲が立派に実る国を意味する「豊葦原《とよあしはら》の瑞穂《みずほ》の国」と呼ばれており、稲作の周期に合わせて神事やお祭りが行われてきました。

日本人にとって米は単なる農作物というだけでなく、神と人を結ぶ神聖なお供えものでもあるのです。

日本神話の原点であるアマテラスノオオミカミを祀る「伊勢神宮」では、朝夕2回、ご飯3盛の神饌《みけ》が奉納されています。お供え用の米も伊勢の「神田」で栽培されており、「イセヒカリ」「キヌヒカリ」「あきたこまち」など多様な米が用いられています。

あんぱん、カレー、ラーメン、オムライス――輸入食も日本のソウルフードに

第5章で和食についてお話ししましたが、純粋な「和食」とは別に、日本人が外国から来た料理をアレンジして、独自の日本料理に発展させた例もたくさんあります。

たとえば中国料理由来の「ラーメン」、インド料理由来の「カレーライス」、フランス料理由来の「オムライス」、イタリア料理由来の「スパゲティ・ナポリタン」など、いずれも本場の料理とは異なる日本人好みのアレンジ料理ですが、日本中の家庭や料理店で長年愛食されており、これらも一種のジャパニーズソウルフードといえます。

さらに、ラーメンのスープにはしょう油、みそ、塩、とんこつなどの各種があったり、トッピングもチーズやキムチ、フレンチ風味があるなど、独自のバリエーションを作り出しています。

欧米由来のパンも、「あんぱん」「カレーパン」「やきそばパン」「メロンパン」など、日本流のアレンジによって、本場にはない新しい味を作り出しています。

また、日本伝統のソウルフードである「餅」を使った和菓子の「大福」に、外国由来のチーズやカスタードクリームやアイスクリームを組み合わせるなど、食に対する日本人の探求心、冒険心は留まるところを知りません。

サードウェーブコーヒーも缶コーヒーもルーツは日本

コーヒー文化も、日本独特のユニークな展開を見せています。

日本にコーヒーが入ってきたのは江戸時代。オランダから長崎の出島経由で伝わってきました。

やがて、明治の文明開化と共にコーヒーを提供するハイカラなカフェが登場し、太平洋戦争後の高度成長期以降にサイフォンやハンドドリップによる抽出にこだわった喫茶店文化が、全国に広がっていきました。

その背景には、当時の日本に入ってくる豆の品質があまりよくなかったため、抽出の仕方を工夫せざるを得ないとい事情があったのですが、それによって日本独自の喫茶店文化のスタイルが生まれたのです。

２０１５年頃には、アメリカから「サードウェーブコーヒー」と呼ばれるムーブメントが到来しましたが、そのルーツはコーヒーをハンドドリップで１杯ずつ丁寧に淹れる日本の古き良き喫茶店文化にありました。

サードウェーブコーヒーを代表する「ブルーボトルコーヒー」の創業者、ジェームス・フリーマン氏も、日本の喫茶店にヒントを得たと語っています。

日本の喫茶店ではおなじみのアイスコーヒーも、実は欧米にはなかった日本独特の飲み方です。また、コーヒーをゼラチンや寒天で固めたコーヒーゼリーも、軽井沢の老舗「ミカドコーヒー」が１９６０年代に生み出したものです。

喫茶店文化とは別に、缶入りコーヒーを世界で初めて開発したのも、日本の会社でした。日本はコーヒー文化の歴史自体は浅いものの、世界でも類を見ない独自のコーヒー文化大国といえるかもしれません。

プロダクトエンジニアリングよりプロセスエンジニアリング

日本では、製品の開発に関わる「プロダクトエンジニアリング」より、製造や量産化のための工程を担う技術者「プロセスエンジニアリング」に重点を置いたものづくりを進めることで、西洋の知恵を受け入れつつ、そこに独自の創意工夫を加えることを得意としてきました。

プロダクトエンジニアリングが新しい製品を生み出す源泉だとすれば、プロセスエンジニアリングはその小さな流れを絶やさず、豊かな実りをもたらす大河へと育てていく過程ともいえるでしょう。

日本企業のプロセスエンジニアリングには、狭い工場スペースをどう有効活用するか、限られた陣容でいかに物流システムを構築するか、原材料費を抑えるための在庫管理は、不良品を出さないために品質管理をどうするか、短い納期をいかに守るか、チームワークをどうつくるのか、人材のスキルをどう高めるかなど、その工夫には日本人の特性がよく表れています。

多くの日本企業が世界で高く評価されるポイントも、研究開発力より、生産技術力や管理力、システム化や人材育成面にあるといわれています。

日本一の営業利益を上げているトヨタ自動車が生み出した「カンバン方式」（必要なものを必要なときに必要なだけ作る生産管理方式）や、「見える化」（生産現場の問題点や解決策を目に見えるようにして共有する仕組み）、「先入れ先出し」（先に置かれたものから先に取り出す仕組み）などのノウハウは、今や世界中の企業がとり入れています。

経済発展とともに急成長している中国企業の多くも、日本企業に倣うことで先進企業としてのイロハを身につけていったといわれています。

トヨタ自動車では、企業活動に欠かせない業務改善のことを「カイゼン」と呼んでいますが、これは現状に甘んじず、常によりよいものを目指して自ら課題を見出して解決していくという意味です。

トヨタ式カイゼンは製造業だけでなく、建設業や小売業、サービス業など、幅広い業界で活用されており、世界でも「KAIZEN」としてよく知られています。

トヨタが2022年度の世界新車販売ランキングで3年連続世界トップに輝いたのも、常によりよいものづくりを標榜するカイゼンのたまものといえるのではないでしょうか。

日本流を活かしつつお国事情に合わせて賢く「現地化」

中国やアジアなどに工場進出した日本企業がまずぶつかるのが、日本企業の緻密なものづくりの手法を、文化や人々の価値観、労働観の異なる進出先の国でどう活かしていくかという「現地化」の壁です。

日本の工場で行っている手法をそのまま移植させようとしても、文化や常識の違い、あるいは供給環境の不備などからうまくいかず、トラブルが起こることも少なくありません。

現地化に成功している日本企業は、日本流のよさを生かしながらも、お国事情に合わせて試行錯誤しながらうまく現地流にアレンジし直して新しいプロダクトエンジニアリングを生み出しています。

実はこれは、日本人が古来から続けてきた方法論に通じます。日本が長い歴史の中で、他国の文化や技術を柔軟に取り入れ、自ら「現地化」してつくり上げてきた日本流の価値。それを今は多様にアレンジし直して、世界各地で展開しているのです。

おわりに

世界のリーダーが集結するダボス会議の主催団体「世界国際フォーラム」が毎年発表している「観光魅力度ランキング」の2021年版で、日本が初の第1位に輝きました。コロナ禍の制約がある中、2位以下のアメリカ、スペイン、フランス、ドイツ、スイス、オーストラリア、イギリス、シンガポール、イタリアという観光大国を抑えて、なぜ日本が世界117カ国の首位に立ったのでしょう？

日本が高く評価されたポイントは幾つかありますが、ひとつは鉄道サービスと公共交通機関の利便性の高さです。

日本は世界で最初に高速鉄道網を整備した国であり、世界屈指の鉄道大国といわれます。中でも戦後復興の象徴でもあった新幹線は、日本を代表する交通インフラの代名詞といえます。第4章で、わずか7分間の停車時間を厳守する驚異の新幹線清掃のお話をしましたが（P103参照）、これも日本の鉄道サービスの素晴らしさを物語る一例といえます。

世界各国の駅の乗降客数を比較しても、世界一乗降客が多いとギネスに記録された新宿駅を筆頭に、渋谷、池袋、大阪（梅田）、横浜など上位の8割以上を日本の駅が独占しています。中国やインドなど、日本の10倍以上の人口の国々を圧倒する数ですが、その背景にあるのは、超過密ダイヤでも遅延や事故が最小限に抑えられている高度な鉄道インフラの存在です。

また、治安のよさも日本の評価ポイントのひとつです。

国際的シンクタンク経済平和研究所が毎年発表している世界平和度指数でも、日本は社会の安全性とセキュリティの高さが評価され、163カ国中12位にランクインしています。

さらに、世界文化遺産の数や、伝統芸能などの無形文化も日本の観光魅力として挙げられています。日本の世界遺産の数は世界で11位の多さで、その8割は文化遺産です（巻末P194参照）。現存する国の中で世界一歴史が古い日本は、まさに多様な文化遺産の宝庫といえます。文化遺産のひとつである紀伊山地の霊場は、日本の観光旅行の先駆けとなった「熊野詣」の舞台でもあります。

海外でも評価が高いこうした日本の魅力の奥にあるのは、本書で紹介した日本人特有の精神性や美意識です。

これからますます増えるといわれているインバウンド対策に当たり、本書をお役立ていただければうれしい限りです。

■日本の世界遺産（２０２３年現在　合計25件）

（1）法隆寺地域の仏教建造物（奈良県）（平成5年記載）
（2）姫路城（兵庫県）（平成5年記載）
（3）屋久島（鹿児島県）（平成5年記載）
（4）白神山地（青森県、秋田県）（平成5年記載）
（5）古都京都の文化財（京都府、滋賀県）（平成6年記載）
（6）白川郷・五箇山の合掌造り集落（岐阜県、富山県）（平成7年記載）
（7）原爆ドーム（広島県）（平成8年記載）
（8）厳島神社（広島県）（平成8年記載）
（9）古都奈良の文化財（奈良県）（平成10年記載）
（10）日光の社寺（栃木県）（平成11年記載）
（11）琉球王国のグスク及び関連遺産群（沖縄県）（平成12年記載）
（12）紀伊山地の霊場と参詣道（三重県、奈良県、和歌山県）（平成16年記載）

(13) 知床（北海道）（平成17年記載）
(14) 石見銀山遺跡とその文化的景観（島根県）（平成19年記載）
(15) 小笠原諸島（東京都）（平成23年記載）
(16) 平泉―仏国土（浄土）を表す建築・庭園及び考古学的遺跡群（岩手県）（平成23年記載）
(17) 富士山―信仰の対象と芸術の源泉（静岡県、山梨県）（平成25年記載）
(18) 富岡製糸場と絹産業遺産群（群馬県）（平成26年記載）
(19) 明治日本の産業革命遺産　製鉄・製鋼、造船、石炭産業（岩手県、静岡県、山口県、福岡県、熊本県、佐賀県、長崎県、鹿児島県）（平成27年記載）
(20) 国立西洋美術館本館（東京都）（平成28年記載）
(注) 7カ国（日本、フランス、アルゼンチン、ベルギー、ドイツ、インド、スイス）にまたがる「ル・コルビュジエの建築作品―近代建築運動への顕著な貢献―」の構成資産の一つ。
(21)「神宿る島」宗像・沖ノ島と関連遺産群（福岡県）（平成29年記載）

(22) 長崎と天草地方の潜伏キリシタン関連遺産（長崎県、熊本県）（平成30年記載）
(23) 百舌鳥・古市古墳群（大阪府）（令和元年記載）
(24) 奄美大島、徳之島、沖縄島北部及び西表島（鹿児島県、沖縄県）（令和３年記載）
(25) 北海道・北東北の縄文遺跡群（北海道、青森県、岩手県、秋田県）（令和３年記載）

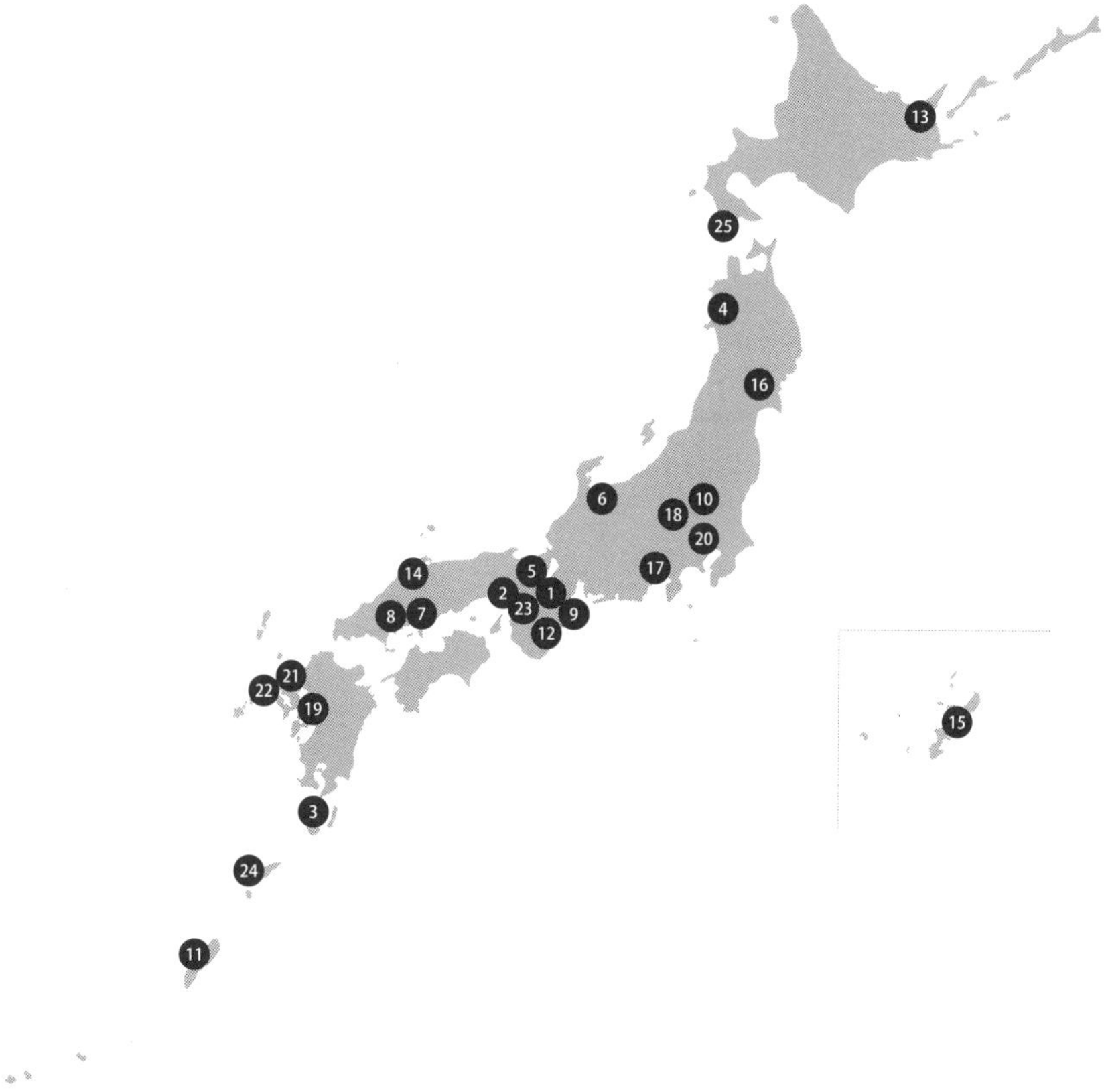

地図〈外務省ホームページより〉
https://www.mofa.go.jp/mofaj/gaiko/culture/kyoryoku/unesco/isan/world/isan_2.htm

【特別協賛】（五十音順）

ロンドン医療センター　院長　伊原鉄二郎

株式会社シーエスリサーチ　代表取締役　小野寺紘毅

一般社団法人全国介護事業者連盟　理事長／

株式会社日本介護ベンチャーコンサルティンググループ代表　斉藤正行

株式会社リブラン　取締役相談役　鈴木静雄

株式会社ティア　代表取締役　冨安徳久

株式会社メドックス　代表取締役　中田利夫

一般社団法人日本医療研究所　理事　野口哲亮

株式会社日本医療経営研究所　取締役　杉田利雄

株式会社スパイラルアップ　代表取締役　原邦雄

第29代全国市長会　会長　松浦正人

株式会社シー・エム・シー　代表取締役　三浦隆輔

共生バンクグループ／共生日本ゲートウェイ成田　総裁　柳瀬公孝

有限会社シニアライフサポート　特別顧問　吉村文吾

野口　哲英 (Noguchi Tetsuhide)

メドックスグループ代表、株式会社メドックス取締役会長（医療福祉施設設計・監理）、株式会社日本医療経営研究所代表取締役（経営コンサルティング）。病院経営塾、病院管理者育成塾を主催し、理事長・院長など経営管理者630人を超える人材育成に関わる。特定非営利活動法人アイエイチエムエージャパン会長理事、社団法人 国家ビジョン研究会常任理事・幹事（国家ビジョンを提言するシンクタンク）、（社）日本認知症改革推進協会理事長、（社）日本医療研究所理事長、（社）日本介護事業連盟直前理事長。（社）日本医業経営コンサルタント協会認定コンサルタント、一級建築士。

主な著作に『絶体絶命の社会保障制度』大河出版、『病院経営塾・新病院経営塾』日本医療企画、『病医院の新増設改築のチェックポイント』鹿島出版、『令和維新―今こそ「躍動する」日本へ』平成出版、『あなたが変える医療50のアイコン』さんが出版などがある。

日本《にほん》の叡智《えいち》

「和《わ》」の奥深《おくぶか》さを知《し》る手引書《てびきしょ》

野口《のぐち》　哲英《てつひで》

明窓出版

令和五年　九月十日　初刷発行

発行者——麻生　真澄
編集協力——轡田　早月
発行所——明窓出版株式会社
〒一六四—〇〇一二
東京都中野区本町六—二七—一三
振替　〇〇一六〇—一—一九二七六六

印刷所——中央精版印刷株式会社

ISBN978-4-89634-462-2